L'ENCYCLOPÉDIE DU PETIT CERCLE

Du même auteur :

Nikolski, roman, Alto, 2005.

NICOLAS DICKNER

L'encyclopédie du petit cercle

nouvelles

L'instant même

Maquette de la couverture : Anne-Marie Guérineau

Illustration de la couverture : Denise Guay, *La leçon d'écoute* (détail), 2005-2006, huile et photo sur papier (60 × 23 cm)
Nous remercions la galerie Linda Verge pour son aimable collaboration.

Photocomposition : CompoMagny enr.

Distribution pour le Québec : Diffusion Dimedia
539, boulevard Lebeau
Saint-Laurent (Québec) H4N 1S2

L'Instant même
865, avenue Moncton
Québec (Québec) G1S 2Y4
info@instantmeme.com
www.instantmeme.com

Dépôt légal – Bibliothèque et Archives nationales du Québec, 2006

Catalogage avant publication de Bibliothèque et Archives Canada

Dickner, Nicolas, 1972-

    L'encyclopédie du petit cercle : nouvelles

    Éd. originale : 2000.

    ISBN 2-89502-228-3

    I. Titre.

PS8557.I325E52 2006   C843'.6   C2006-941004-6
PS9557.I325E52 2006

L'instant même remercie le Conseil des Arts du Canada, le gouvernement du Canada (Programme d'aide au développement de l'industrie de l'édition), le gouvernement du Québec (Programme de crédit d'impôt pour l'édition de livres – Gestion SODEC) et la Société de développement des entreprises culturelles du Québec.

Un dictionnaire sans exemples est un squelette.

Petit Larousse (1918).

À Virginie, ces exemples qu'elle avait si hâte de lire...

... ainsi qu'à Madineg, à qui je dois, bien malgré moi, plusieurs des pages qui suivent.

Avant-propos

Où l'auteur esquisse, par pure malice et en guise de faux repentir, les circonstances ayant présidé à la genèse de ce qui suit, ainsi que les mauvais prétextes pour lesquels d'aucuns auraient abouti, à leur insu, dans des pages un rien indiscrètes.

Québec commençait à en avoir plein le dos, en ce mois de juin 1996 : nous sortions à peine d'une épidémie de maladie du légionnaire, les émeutes pleuvaient sur le centre-ville et nous écopions, en outre, du temps de canard remontant la côte est des États-Unis – ce qui finissait par donner l'impression d'une certaine animation au sein de notre petite ville.

J'ignore à quoi les autres s'amusaient mais, pour ma part, je perdais mon temps à écrire un roman d'une médiocrité confondante. Je songeais sérieusement à me couper de l'humanité pour aller faire la plonge au restaurant végétarien du coin, perspective guère séduisante. Une transhumance s'imposait, histoire de changer le mal de place, et je quittai la banlieusarde Sainte-Foy pour emménager dans un pittoresque cagibi de la rue Port-Dauphin. Le fleuve à mes pieds, la perspective du prochain chèque de loyer encore lointaine, je me permis de ne rien faire, que lire, pour quelque temps.

Les bouquinistes profitèrent largement de ce décret, et c'est au cours d'une razzia chez l'un d'entre eux que je découvris l'*Encyclopédie du petit cercle,* égarée sous une pile de Canadianas : il s'agissait en fait d'un mensuel des années soixante-dix, relié en quatre tomes à la manière d'une imposante encyclopédie, qui répertoriait des « houyhnhnminisation fuligineuse », « circologie sibylline », « cyclopisme amaphrotique » et autres vocables du même délire. Ce borgésien ouvrage, étrangement, ne révélait rien de son origine : aucune mention d'université, de secte de lexicographes ou d'hôpital psychiatrique. Il s'agissait sans doute d'un collectif, mais personne (ni comité de rédaction, ni éditeur, ni imprimeur) ne revendiquait l'attentat. Peu importe, l'objet était rigolo.

Une semaine plus tard, je rencontrais Karyne au Festival d'été. Elle revenait d'une amorce de tour du monde en voilier qui, mal organisé, l'avait épuisée et ruinée. Débarquant tout juste de la Nouvelle-Écosse, où elle avait abandonné son voilier sur les béquilles avec une pancarte *À vendre,* elle ne savait trop ce qui l'attendait, étudiant vaguement l'opportunité d'aller se perdre sur la Côte-Nord ou dans le Nunavik. Elle décida finalement de jeter l'ancre sur Port-Dauphin.

Moi qui n'ai jamais été très porté sur le syndrome de la cabine (*cocooning,* en langage karynien), je me suis retrouvé en tête à tête intime avec cette ange impromptue pendant trois jours, ne sortant du lit que pour aller acheter du lait et de la bière. Nous passions le reste du temps à bavarder en grignotant des toasts au miel, ne daignant pas même épousseter les miettes qui s'infiltraient entre les draps et nous faisaient le sommeil dur.

Cette Karyne, grande voyageuse devant l'Éternel et docteure en anthropologie de l'Université nationale autonome de Mexico – quoiqu'elle prétendît parfois avoir étudié l'égyptologie à Lisbonne –, était de surcroît une sacrée palabreuse : elle me conta ses voyages en Terre de Feu, d'invraisemblables légendes apprises en Tunisie, les étés de la Basse-Côte-Nord. Elle en mettait plus que moins et se contredisait sans cesse, rétorquant à mon scepticisme qu'elle se préoccupait fort peu de mener une vie vraisemblable, qu'elle ne savait pas mentir – et qu'est-ce que je pouvais bien en savoir après tout ? Puis, elle m'embrassait, de peur d'avoir l'air bougonne, et recommençait à raconter n'importe quoi. Cette mythomane en cavale se prenait sans doute, mais non sans raisons, pour une Joséphine Violon ou une Marie-Sophie Magnifique.

Ne possédant pas son verbe, je me contentai de lui faire lire un chapitre de mon roman. Qu'elle n'aima pas. Sans insister, et histoire de faire oublier ma mauvaise prose, j'exhumai de la bibliothèque les quatre tomes de l'*Encyclopédie du petit cercle* dont elle tomba, en revanche, instantanément amoureuse. Nous passâmes une nuit entière à siroter de la Carib en nous lisant les meilleures définitions – que Karyne, du reste, parvenait toujours à améliorer.

Elle repartit le lundi matin, à l'aube, avec trois tomes de l'encyclopédie – l'un d'entre eux reposait sous ma tête en guise d'oreiller. À mon réveil, pas tant frustré par son larcin que par sa disparition, j'ai lancé mon roman dans la boîte à récupération et me suis attaqué à un témoignage ambigu dont le premier jet fut complété en trois semaines et quelques poussières. Alors voilà : témoignage oblige, je dois préciser que les événements et personnages présentés dans ce recueil souffrent parfois d'un manque flagrant de maquillage ; toute ressemblance avec des personnes ou situations existant, ayant existé ou qui existeront ne saurait être autre chose que pure préméditation.

I

L'Ancien Monde

Alexandrie, Alexandrie

Attrape-papillon, n. m. (v. 1839 ; répertorié en Icarie par Aoud Al Ded, lors de son dernier voyage). L'oasis, lieu essentiel dans l'histoire de l'errance, ne constitue pas tant un point d'accueil que la mince ligne entre deux morts : au-delà de cette frontière le voyageur meurt de soif, en deçà il périt noyé. L'invention de la bouée de sauvetage et de l'oasis portative est venue chambouler un instinct de survie jus-qu'alors basé sur le subtil équilibre entre l'attirance et la répulsion, toute inhibition de l'un ou l'autre de ces pôles compromettant sérieusement l'existence. Pour l'école des Dédalistes, l'attrape-papillon n'est pas l'irrésistible en deçà de la ligne de vie : il s'agit plutôt du poids qui dort en chaque homme, guettant l'occasion de le faire choir dans l'entonnoir de la lumière. Voir **Fennec (complexe du)** et **Héliotropie icarienne.** (*Encyclopédie du petit cercle,* tome I, p. 214.)

Au terme d'un long et pénible voyage depuis Babylone, en Chaldée, monsieur Gorde avait rencontré monsieur Gotop au marché de Persépolis. L'un désirait retrouver son frère, qui habitait au-delà du désert, à Alexandrie ; l'autre collectionnait les cartes du désert. Ils étaient faits pour s'entendre.

Ils allèrent prendre le thé et discutèrent de départ. Monsieur Gorde sortit de son portefeuille les gravures sur papyrus de son frère, tandis que monsieur Gotop étalait ses cartes en peau de chèvre sur la table, bousculant la théière et les petits sablés. Ils parlèrent du frère exilé, d'Alexandrie la Grande, des nuits dans le désert et des wadis boueux. Ils s'empressèrent de louer les services d'un chamelier, achetèrent des chameaux, des provisions et de l'eau, et le lendemain à l'aube ils partaient pour Alexandrie.

Monsieur Gotop prit la tête de la caravane : il avait installé en travers de sa selle, en guise de table à cartes, une tablette de scribe qu'il disait avoir appartenu à Imhotep, et il officiait en tant que navigateur, jouant du compas et de la règle à longueur de journée. Ils commencèrent par rebrousser le chemin que monsieur Gorde avait parcouru.

– Vous vouliez aller à Alexandrie, mon pauvre monsieur Gorde, disait-il avec une pointe de condescendance, mais elle se trouvait justement sur votre chemin lorsque vous descendiez de Babylone, tout juste à la pointe de la mer Persique ! Vous avez vraiment eu de la chance de me rencontrer.

Monsieur Gorde acquiesçait en silence – et comme le chamelier, pour sa part, n'ouvrait la bouche que pour conseiller une piste à suivre ou un lieu de bivouac, ce fut un voyage fort silencieux. Ils atteignirent Alexandrie dix jours plus tard. C'était une belle cité, pas très étendue, toute de terre cuite et recuite par le soleil et entourée par des remparts de brique ocre. En pénétrant dans les murs, ils demandèrent à un légionnaire s'il connaissait Noé Alex Gorde, de Babylone. Le soldat, qui parlait à peine leur langue, n'eut pas l'air de connaître l'homme.

– C'est pourtant quelqu'un d'important, insista monsieur Gorde en exhibant les gravures sur papyrus de son frère. Un Chaldéen, grand savant et fier guerrier, un homme que l'on remarque.

– Attendez, marmonna monsieur Gotop en consultant ses cartes. Il est possible que votre frère n'habite pas ici...

Et il expliqua qu'existait une seconde Alexandrie de l'autre côté de Persépolis, vers l'Indus, et qu'il n'était pas impossible que son frère y fût. La méprise s'avérait pour ainsi dire inévitable.

Après s'être formellement assuré que Noé Alex n'habitait pas dans cette ville-ci, ils revinrent sur Persépolis et, de là, voyagèrent encore douze jours avant d'atteindre l'autre Alexandrie. Il s'agissait d'une cité beaucoup plus petite que la précédente : après avoir traversé un vaste champ de ruines, que l'on devinait être d'anciennes pelures de la ville, l'on trouvait une petite oasis autour de laquelle s'agglutinaient une centaine de bâtiments en brique rouge ; une Alexandrie tenant davantage du caravansérail que de la ville impériale.

Ils hélèrent un chamelier qui menait ses bêtes à la palmeraie, le fusil à l'épaule. Il baragouinait un dialecte ancien et incompréhensible. Heureusement, le chamelier de monsieur Gorde connaissait quelques bribes de ce dialecte : il réussit à comprendre qu'aucun Noé Alex n'habitait ici, et qu'il existait de surcroît une autre Alexandrie, à une quinzaine de jours de chameau vers l'Hindú-kúsh. L'information fut transmise à un monsieur Gotop sceptique, qui consulta attentivement ses cartes et finit par s'écrier que, *bien sûr !*, il y avait cette Alexandrie-là. Il se mit à éplucher fébrilement son atlas, échafaudant le meilleur trajet pour continuer vers la troisième Alexandrie, lorsqu'il tomba soudain en arrêt, le doigt pointé sur une carte, le front plissé. D'une voix un peu hésitante, il apprit à monsieur Gorde qu'une quatrième Alexandrie se trouvait au nord de la Gedrosie. Après une seconde de silence, plus bas, il ajouta que sa carte indiquait une autre Alexandrie, encore plus au nord.

– Et il y a également Alexandrie du Kavkhaz, Alexandrie-Eschata, Alexandrie sur l'Indus, sans compter le port d'Alexandre, Alexandropolis et toutes les autres petites Alexandrie qui ne sont pas indiquées sur la carte.

Monsieur Gotop avait terminé d'une voix éteinte, presque un murmure. Après s'être entendu, ils achetèrent des vivres et de l'eau à prix d'or et repartirent sur la route de l'Hindú-kúsh.

Ils parvinrent à l'Alexandrie suivante, de l'autre côté de l'Étymandre, après quinze jours de chameau. La ville, toute blanche et dépourvue de remparts, s'étirait sur les flancs d'une colline. Ils voulurent se renseigner auprès d'un paysan maigrichon qui moulait son blé à l'aide d'une machine à vapeur, mais celui-ci parlait un jargon absolument incompréhensible. Monsieur Gorde fit le tour du quartier en montrant le portrait sur papyrus de Noé Alex. Chacun lui laissa entendre, par des gestes et des mimiques, qu'il ne l'avait jamais vu.

Ils décidèrent donc de persister vers l'est, de remonter l'Indus puis de traverser l'Hindú-kúsh jusqu'à Alexandrie-Eschata, au nord de Maracanda, d'où ils reviendraient vers le sud : ils effectueraient ainsi un vaste cercle leur permettant de visiter toutes les Alexandrie indiquées sur les cartes de monsieur Gotop. Celui-ci calcula qu'il leur faudrait compter approximativement neuf mois pour accomplir ce périple.

Une nuit, près d'Alexandrie-Kandahár, le chamelier s'enfuit avec un chameau en guise de salaire. Messieurs Gorde et Gotop n'en firent pas un drame : le chamelier ne se rendait plus guère utile, puisqu'il ne connaissait pratiquement pas cette contrée éloignée. De surcroît, il devenait chaque jour plus difficile de comprendre ce qu'il disait, comme si son dialecte eût été protéiforme. Ils continuèrent seuls jusqu'à Alexandrie-Kandahár, ville hérisson blottie au creux d'un vallon et couverte d'antennes de télévision et de radio.

Les habitants y mâchouillaient une langue non seulement obscure, mais dont les consonances ne rappelaient plus rien aux oreilles de monsieur Gorde et de monsieur Gotop. Seul le mot *Alexandrie* demeurait plus ou moins compréhensible dans cet embrouillamini linguistique. Ils montrèrent le portrait sur papyrus de Noé Alex à un homme qui posait une antenne parabolique sur son toit : il le retourna plusieurs fois et le gratta de l'ongle, comme si le papyrus l'intriguait davantage que le portrait dessiné dessus. Puis il haussa les épaules et retourna à son bricolage sans dire un mot.

Ainsi que le craignait monsieur Gotop, plusieurs Alexandrie apparurent que ses cartes n'indiquaient pas. Ils en trouvèrent quatre de plus au nord-est d'Alexandrie-Kandahár, et encore trois le long de l'Indus ; rendus en Bucéphalie, ils découvraient une Alexandrie à tous les deux jours. C'étaient parfois des villes énormes et grouillantes, impossibles à traverser en moins d'une journée, et d'autres fois des amas de ruines où campaient des nomades hirsutes et silencieux. Souvent, monsieur Gorde ne se donnait plus la peine de comprendre les dialectes environnants, ne sortait plus le vieux portrait de papyrus élimé ; monsieur Gotop, pour sa part, ne consultait plus ses cartes que rarement.

Un soir, dans l'Hindú-kúsh, ils se disputèrent. Ils avaient traversé, durant l'après-midi, une Alexandrie minable et déprimante. Un gamin crasseux avait jeté une canette de Coca-Cola rouillée à la tête de monsieur Gorde, et le chameau de monsieur Gotop s'était mis à boiter de façon inquiétante après avoir donné de la patte contre le rebord d'un trottoir. Au moment de préparer le repas, ils butèrent sur une boîte de conserve qu'ils ne savaient pas ouvrir. Ayant élaboré des théories contraires quant à la meilleure manière d'éventrer le contenant, ils se lancèrent mutuellement des bêtises.

– Fermez-la, Gotop ! On voit où elles nous ont menés, vos théories de méhariste du dimanche ! *(Méprisant.)* Allez donc grignoter vos cartes !

– Fumier complet, je vous rappelle que c'est pour mettre la patte sur votre fantôme de frère que nous sommes ici ! *(Condescendant.)* Et donnez-moi cette boîte : vous passeriez la nuit dessus, incapable que vous êtes !

– *(Hargneux.)* Si vous aviez acheté des dattes plutôt que ces machins incomestibles, espèce d'âne buté, nous aurions déjà mangé !

– *(Amer.)* Ah ! Parce que vous en avez trouvé, vous, des dattes ?

Et tandis qu'ils se chamaillaient comme des vautours, la nuit tomba. Ils se découvrirent bientôt plongés dans le noir, essoufflés, affamés, à court d'insultes. Une brise froide se mit à souffler du nord-ouest, et Gotop s'accroupit pour chercher un manteau dans le fouillis de sa besace. Gorde, en silence, s'approcha de lui et mit la main sur son épaule.

– Gotop, regardez, murmura-t-il d'une voix agonisante.

Gotop se releva en tremblant : partout sur l'horizon des myriades de lumières multicolores jetaient dans le ciel un brouillard orange ; un grondement sourd couvrait le bruit des grillons et le sable vibrait désagréablement sous le pied. Des centaines de villes, camouflées durant le jour, émergeaient lentement du sable, lourdement habillées d'échangeurs routiers, cernant les voyageurs de leurs innombrables lumières au mercure, rotatives, filiformes, halogènes, tubulaires et hypnotiques. Gorde et Gotop se serrèrent l'un contre l'autre. Par-dessus la multitude des lumières se dressaient de hauts panneaux publicitaires au néon rouge et clignotant, pièges automatiques à papillons de nuit, où grésillait sans cesse le même mot : Alexandrie, Alexandrie, Alexandrie...

L'Ancien Monde

Chadouferie, n. f. (v. 1900 ; répertorié par Elioza Fafard-Lacasse lors d'un séjour au cap Fourchu). La Chadouferie, cette confrérie de puisatiers et de gardiens de phare, n'est hétéroclite qu'en apparence – car, tout bien considéré, le puits n'est-il pas un phare en négatif ? L'un est un trou d'eau dans le désert, et l'autre un trou de désert dans l'eau. Cela ne fait, au bout du compte, qu'une seule et même solitude, et cette solitude nourrit une obsession commune pour la lumière : le puisatier cherche à s'en éloigner toujours davantage, tandis que le gardien doit y rester collé comme un papillon de nuit. Au sol, on reconnaît ces pauvres diables aux lunettes fumées dont ils ne peuvent se départir. (*Encyclopédie du petit cercle,* tome I, p. 420.)

La route de Sainte-Affablie, qui rampait sur cent kilomètres de plaine aride, ne possédait aucun point d'eau, et les habitants de cette contrée ne comptaient plus les voyageurs que la soif avait répandus en fine poussière. Une fois par mois, un vieux charretier accompagné du bedeau de Saint-Cageot parcourait la route pour ramasser les quelques cadavres que coyotes et corneilles n'avaient pas éparpillés sur un kilomètre carré, et les mener au cimetière de Sainte-Affablie. Lorsque le charretier mourut et qu'aucun jeune ne se trouva pour prendre la relève, on se décida à dépêcher ce vieux sourcier de Blériot sur le chemin problématique afin qu'il sonde de sa baguette de coudrier les affleurements d'eau. Il revint quatre jours plus tard, poussiéreux et fatigué, avançant que, peut-être, pourraient se trouver quelques gouttes d'eau sur le flanc d'une petite doline, au kilomètre 43.

S'il ne s'était trouvé aucun villageois que le ramassage de cadavres intéressât, il y en eut au moins deux pour s'improviser puisatiers : Pierre et Simon, que la vie de village ennuyait, partirent pour la doline 43 avec pelle et pioche sur le dos. Ils n'eurent aucune difficulté à trouver le cairn que Blériot avait laissé pour indiquer le seul affleurement d'eau possible des parages. Ils se mirent à l'ouvrage et, toutes les semaines, quelqu'un de Saint-Cageot allait leur porter des vivres et de l'eau, et s'enquérir du travail accompli.

Au cours des premières semaines, le puits s'enfonça rapidement dans le calcaire friable de la doline. Pierre et Simon travaillaient en même temps dans ce trou large de trois pas, selon une méthode très simple : l'un se perchait sur une petite tablette pour laisser le champ libre à l'autre, qui concassait le calcaire à la pioche ; puis la pierraille était évacuée à l'aide d'un seau qui, hissé jusqu'à la surface grâce à une poulie, se vidait automatiquement dans une glissière. Hypnotisés par cette routine, ils descendaient creuser tôt le matin pour ne ressortir du puits qu'au crépuscule, ne voyant plus du soleil qu'un cercle de lumière qui allait s'amenuisant de jour en jour.

L'impatience les gagnait lentement, cependant, aggravée par ce sentiment de creuser à rebours dans un calcaire manifestement de plus en plus aride. Simon avait parfois l'impression de lutter contre le mécanisme d'un gigantesque sablier, s'échinant à faire remonter le sable plutôt que de le laisser descendre – de sorte que le temps s'écoulait à l'envers. Leur désir de l'eau

devint si intense qu'ils commencèrent à manger en travaillant ;
ils décidèrent même, au bout d'un mois, de cesser de remonter
à la surface afin de ne plus perdre de temps sur la corde lisse.
Ils aménagèrent donc une alcôve pour dormir et se firent désormais descendre les ravitaillements hebdomadaires par le
seau.

Vers les trente-cinq mètres de profondeur ils mirent au jour
un ancien cimetière marin, donnant de la pioche dans un
amoncellement d'os et de carcasses fossilisés, restes de plésio-
saures et d'ichtyosaures enlacés dans le silence du calcaire.
Pierre pensa au *Voyage au centre de la terre,* de Verne, qu'il
avait lu à l'école. Ils se trouvaient, c'était clair, dans une anti-
que mer de Lidenbrock dont il devait nécessairement rester
quelque relief ; ils ne tarderaient pas, pour sûr, à déboucher dans
une nappe d'eau. *Pourvu qu'elle ne soit pas salée,* s'inquiéta-
t-il.

Et ils piochaient de plus belle en rêvant à l'océan.

Pierre et Simon, à partir de la découverte des fossiles, se
révélèrent métamorphiques : leurs rythmes circadiens commencèrent à décaler, d'abord imperceptiblement, puis par grandes
secousses. Ils en vinrent à travailler la nuit, se réveillant à
l'heure où les gens de la surface s'attablaient pour le souper.
Leurs yeux s'adaptèrent si bien qu'au bout de deux mois ils
purent vivre et travailler dans la noirceur la plus profonde. Leur
oreille s'affina également, et ils prirent l'habitude de coller la
tête au sol pour jauger la proximité de l'eau, qui leur semblait
d'ailleurs plus loin que jamais. Et puis, étant natifs de Saint-
Cageot et, de ce fait, peu enclins à la causette, ils finirent par
ne plus échanger un seul mot, communiquant par un subtil
langage de carpes constitué de monosyllabes, de gestes et de
respirations.

Ils passaient leurs journées dans le voisinage silencieux des fossiles qu'ils ne cessaient d'exhumer. Chaque pelletée les plongeait un peu plus creux dans la nuit des temps, et ils arrivèrent bientôt en plein Dévonien, les sauriens laissant la place à des bas-reliefs de cœlacanthes, de brachiopodes primitifs et d'ammonites, sur fond d'algues et de coraux. Mais toujours pas une seule goutte d'eau.

Au bout de trois mois, ils atteignirent sans le savoir (ils ne prenaient plus de mesures depuis longtemps) le cap des cent mètres. À ce moment disparurent brusquement tous les fossiles, et ils perçurent d'instinct un changement de situation : ils venaient de s'échouer sur ce qui avait été une île, sept cent millions d'années plus tôt. Ils arrêtèrent de creuser et tombèrent assis sur le sol aride de ce récif, naufragés hors du temps, attendant chacun que l'autre fasse un geste. Simon parla avec lenteur, déjà déshabitué aux mots.

– Tu as entendu, toi aussi, il y a une semaine ?

– Oui. Un bruit d'eau sur les galets, comme au bord de la mer.

– Oui. Mais c'était plus haut. *(Silence.)* N'y a plus d'eau ici, Pierre. Et depuis longtemps. *(Silence.)* Je m'en vais. Je retourne au village.

Ayant dit cela, il ramassa son saint-frusquin et commença de grimper sur la corde, disparaissant bientôt dans la noirceur. Pierre resta longtemps assis à observer le fond du puits. Peut-être un jour, peut-être deux. Puis il songea qu'à attendre l'eau ainsi, adossé à la roche, il finirait sans doute par se fossiliser. Il soupira, ramassa ses affaires et prit à son tour le chemin de la corde lisse, abandonnant pelle, pioche et fanal à la rouille. Il remonta le cours du temps, laissant derrière lui l'immobilité du Précambrien – et le fond du puits retomba dans un silence de début du monde.

Alors, un léger bruissement fit onduler la noirceur, qui se transforma en un ressac, battant sur les parois et emplissant le puits – mais plus personne n'y était pour l'entendre, hormis les cloportes et les trilobites. Tandis que Pierre descendait la route poussiéreuse de Saint-Cageot en se frottant les yeux, l'eau commença à sourdre du fond du puits. Au bout d'une semaine, la large plaine que traversait auparavant la route de Sainte-Affablie s'était muée en une vaste mer intérieure. La population environnante n'ayant pas précisément le pied marin, une dizaine de villages, dont Saint-Cageot et Sainte-Affablie, furent prestement évacués et il n'y eut bientôt plus âme qui vive à moins de cent cinquante kilomètres de la doline 43, laquelle se situait maintenant à trente brasses de fond.

Seuls Pierre et Simon décidèrent de rester dans le pays. Ils se construisirent une grande barque et commencèrent à déménager poutres, pierres et mortier sur un petit archipel – anciennement le groupe de collines situé au kilomètre 56. Il leur fallut deux ans pour ériger un phare, dont ils s'occupèrent avec constance afin de guider toute embarcation qui se serait aventurée sur cette mer de la tranquillité. Malheureusement, aucun bateau ne croisa jamais au large de l'archipel 56 – et ils vécurent exilés dans le silence, pêchant à la ligne des cœlacanthes et des trilobites tigrés qui frétillaient dans l'air calme.

II

Dans les limbes

La clé des océans

Cadillac carbonifère, n. f. (v. 1937 ; d'après un apocryphe de Jules Verne). L'homme moderne (*homo cadillacus*) se vante généralement d'être profane en matière de paléontologie. Ce béotisme crasse lui permet de sauvegarder sa modernité en l'empêchant de percevoir la cyclicité du temps. Il peut ainsi se promener en plein Néocarbonifère – sous le règne des crayons à mine de plomb, de la belligérance pétrolifère et des modérateurs de neutrons – sans pour autant régresser jusqu'au pithèquisme. La civilisation de l'*homo cadillacus*, encore basée sur la roue et le feu, est particulièrement menacée par les fluctuations temporelles qui risquent à tout moment de l'envoyer dinguer, pour sa plus grande perte, dans une époque véritablement moderne. L'*homo cadillacus* a inventé l'assurance-civilisation. Voir **Méduse (paquebot de la).** (*Encyclopédie du petit cercle,* tome I, p. 395.)

Une dizaine d'enfants, alignés le long du comptoir, s'évertuent à modeler un papier mâché douteux, criant et se lançant des litres de colle de farine à la tête. Dans la dispute, des monceaux de journaux s'éparpillent sur le plancher en un déluge de catastrophes internationales, et une fillette de la taille d'un raton-laveur, indifférente aux feux du Koweit, en profite pour faire naviguer un paquebot ventru en plastique vert et rose dans les méandres du papier. Disséminés aux quatre coins de la maternelle, une vingtaine d'enfants attifés de vieux rideaux se disputent le contenu d'une boîte de fripes bigarrées, semant un joyeux désordre que mademoiselle Lucie tente à peine de refréner, un vaste sourire aux lèvres. Babylone le jour du nouvel an.

Un peu à l'écart, muni d'un vieux pinceau rogné et d'un pot de gouache bleu marine, le petit Wilbur barbouille sur le mur un autoportrait grandeur nature qu'il étoffe avec humour, le drapant d'un rideau, lui campant sur la tête une touffe de poils anarchiques et le chaussant d'une rutilante paire de bottes en caoutchouc, godasses de sept lieues permettant assurément de sauter par-dessus tous les océans du monde. Mademoiselle Lucie l'observe avec plaisir, se disant que les murs gagneront en beauté ainsi ornés d'une petite fresque façon Wilbur – peu importe qu'il lui faille essuyer une fois de plus les récriminations de monsieur Gronche, le concierge.

Mais voilà que l'autoportrait de Wilbur pique une crise de frankensteinite : il saute du mur, esquisse un sourire bleu et ambigu à Wilbur et va se mêler à la cohue des autres enfants qui, pas le moins du monde décontenancés, l'enrôlent spontanément dans l'équipe des gladiateurs à rideaux verts.

– Il faut vraiment s'attendre à tout de ce petit Wilbur, se dit doucement mademoiselle Lucie en l'observant bleuir de nouveau son coin de mur.

Mais Wilbur possède un sacré coup de pinceau et lorsque mademoiselle Lucie repasse par là, un peu plus tard, elle tombe sur une quinzaine de Wilburs bleus qui jouent à la marelle, qui s'accoutrent en Spartacus du dimanche ou qui brassent de suspects brouets de farine et d'eau. À bien y regarder, d'ailleurs, il y aura bientôt autant de Wilburs fac-similés que d'enfants, puis davantage – et ensuite... Il conviendrait peut-être, songe mademoiselle Lucie, d'orienter le petit (mais preste) Wilbur vers la sculpture en papier mâché afin d'éviter quelque éventuelle surpopulation des exigus locaux de la maternelle.

Elle s'apprête à lui parler lorsqu'un mouvement de la masse enfantine l'encercle et la repousse dans la direction opposée. Mademoiselle Lucie, malgré son inaltérable douceur, tente vaguement d'admonester le cheptel. Rien à faire : elle dérive irrésistiblement vers l'autre bout de la pièce, devinant avec de plus en plus de difficulté, entre les têtes hirsutes et bleues, le petit Wilbur couleur nature qui se démène avec son moignon de pinceau, qui brosse à une vitesse effarante des légions d'auto-portraits.

– Wilbur ! Lâche immédiatement ce pinceau, espèce de petit Mésopotamien ! glapit-elle avec une légère bouffée d'anxiété.

Songeant à regrouper ses enfants, elle cherche de l'œil une chevelure connue mais ne voit autour d'elle que des têtes bleues, tellement proches les unes des autres qu'il n'est plus possible de savoir s'il se trouve là-dessous autre chose que des simili-Wilburs. Prise de panique, elle cherche la sortie – mais il n'y a plus de sortie, il n'y a même plus de murs : juste une vaste et houleuse étendue de tignasses marine d'un horizon à l'autre.

Se sentant perdre pied, mademoiselle Lucie s'accroche à une longue table de travail qui flotte opportunément dans les parages. Debout sur cet esquif peu orthodoxe, elle scrute l'horizon dans l'espoir de découvrir autre chose que du bleu et toujours du bleu. Aucune terre en vue. De-ci de-là flottent des débris : volume décharné des œuvres complètes du docteur Spock, sac d'école bourré de bulletins et de médailles d'excellence, lambeaux détrempés du *Wall Street Journal,* carcasse carbonifère de Cadillac beige.

Et le silence énorme, à peine troublé par les clapotis de la gouache...

Mademoiselle Lucie voit enfin poindre, loin à l'horizon, une minuscule fumée bleue qui vient rapidement dans sa direction. Elle rit, elle crie, elle fouette l'air avec de grands mouvements d'oiseau. Au fur et à mesure que la fumée se rapproche, elle entend une rumeur confuse, le ressac de centaines, de milliers d'enfants. Elle distingue enfin le bateau, un long paquebot vert, rose et rapide, grand léviathan d'acier mou chargé de cris et de rires. Et lorsque cet énorme terrain de jeu flottant passe tout près, elle aperçoit Wilbur, et Georges, et Karyne, et Thomas, et tous les enfants de la maternelle, et des centaines d'autres encore.

Wilbur lance sur le radeau une boîte de sardines, tandis que le paquebot continue imperturbablement sa course. Soudainement affamée, mademoiselle Lucie ouvre la boîte. Il y flotte, dans une huile bleutée, une demi-douzaine de poissons en papier mâché.

Le fantôme d'Howard Carter

Cul-de-sac épidermique, n. m. (1962 ; expression d'Annie L'Escarbot tirée de son livre *Bousier, Buccin, Bubastis*). Paralysie affective transmise par la piqûre de certains insectes africains, et particulièrement par la microscopique mouche égyptophile (*musca sarcophagus*). Senenmout fut le premier, vers 1500 av. J.C., à évoquer l'unique traitement de cette affection : « *Fuir en attendant que ça se tasse* » (traduction libre). Voir **Pétrification sphinxienne.** (*Encyclopédie du petit cercle,* tome I, p. 673.)

À peine entré dans la pénombre encombrée du vestibule, Orville bute sur un vase canope fraîchement retiré de sa caisse, glisse sur la laine de protection qui recouvre le plancher de bois franc, évite de justesse une stèle couverte de hiéroglyphes en bas-relief et tombe dans les bras de Karyne – qui en profite pour l'embrasser sans dire un mot. Il se dégage doucement.

– Qu'est-ce que c'est que ça ?

– *(Vaste sourire.)* Souvenirs de voyage.

Les yeux grand ouverts, il se dirige lentement vers le salon en suivant les dunes en granules de polystyrène que laissent échapper des boîtes entrouvertes. La pièce est remplie de *souvenirs* d'Égypte, à croire que l'équipe de Karyne a littéralement dévalisé le chantier de fouilles. Il redoute déjà de trouver une momie dans la salle de bains, mollement enveloppée dans le rideau de douche, ou un masque funéraire dans la cuisine. Il se retourne vers Karyne, qui allait subrepticement l'enlacer, et lui tend une petite boîte de carton brun. Intriguée, elle l'ouvre : épinglé au fond, un énorme scarabée aux élytres dorés semble assoupi.

– Je l'ai attrapé le mois dernier, près de la Japurá.

– La Japurá ?

– Oui, on est finalement descendus au sud du Negro. *(Inquiet.)* Tu n'as pas lu mes lettres ?

Elle montre du doigt, sur la table du salon, l'impressionnante pile d'enveloppes que lui a remise sa voisine, cet après-midi.

– Non, le courrier n'a pas suivi à Assiout : tout est arrivé ici. Je me réservais tes lettres pour demain.

Elle s'apprête à l'agripper par le collet et à le tirer sur le divan, mais il est déjà parti vers la cuisine, les sourcils froncés, se verser un verre d'eau et vérifier qu'un pharaon ne squatte pas le frigidaire. Karyne va le rejoindre, l'accule dans un coin et lui plaque contre la poitrine un paquet enveloppé de papier safran.

– Il est très beau, ton scarabée. Moi, je t'ai trouvé ça dans une petite boutique du Caire.

Orville sourit faiblement, développe la chose. Il reconnaît immédiatement, sur la couverture du livre, le cartouche de Toutankhamon – les seuls hiéroglyphes qu'il soit capable de décrypter. Le livre, rédigé en arabe et en anglais, s'intitule *The Nine Lives of Howard Carter,* et au dos se trouve une photo du célèbre égyptologue, penché sur la momie de Toutankhamon, pinceau en main. Orville regarde vers le salon où il entrevoit, couchée sur la télévision, une petite sculpture féline du dieu Bastet.

– T'as jamais eu peur de la malédiction des pharaons ?

– *(Faussement indignée.)* Je t'en prie : c'est du folklore, ces histoires-là. Même Howard Carter n'a jamais existé. Et puis le tombeau qu'on a exhumé a déjà été pillé mille ans avant notre ère, alors...

Elle esquisse un mouvement vers lui, mais il s'est déjà éclipsé vers le salon d'un pas chancelant. En passant près du frigidaire, il ouvre machinalement la porte et jette un rapide coup d'œil à l'intérieur : rien à signaler, sauf une boîte en fibre de verre, couverte d'étiquettes, sanglée et cadenassée.

– Attention au chat.

– Quoi ?

– Oui, la boîte, c'est une momie de chat. Fragile.

Orville y jette un regard incrédule et referme brusquement la porte, l'air terrifié. Karyne en profite pour le prendre en étau contre le frigidaire.

– *(Insinuante.)* Écoute, je voudrais pas avoir l'air d'insister, mais ça fait six mois qu'on s'est pas vus. T'aurais pas le goût de, mettons, commémorer nos retrouvailles ?

– *(Sous le choc.)* Une momie de chat ! Tu crois pas que c'est exagéré ?

– *(Résignée.)* Oui, bon, pour notre civilisation ça paraît excessif, mais c'était courant à l'époque, et...

– Non, je veux dire : y a des limites à ramasser les souvenirs, non ?

– Ah, je vois. Tu peux respirer : mon petit musée d'égyptologie est en transit. J'ai pas pu m'empêcher d'ouvrir les caisses, mais on transfère tout ça à l'université demain après-midi. *(Turlupinant négligemment un bouton de la chemise d'Orville.)* Ça nous laissera toute la matinée pour roupiller...

Mais Orville s'est déjà volatilisé. Exaspérée, Karyne le poursuit jusque dans le salon, où il s'est recroquevillé contre une grosse caisse. Au-dessus de lui, la tête noirâtre d'une sculpture d'Anubis émerge d'un nuage de laine isolante. Karyne, radoucie, s'assied à côté de lui.

– Excuse-moi, Karyne, mais je peux pas. Pas avec tout ça *(geste vague)* dans l'appartement. Je me sens épié. Ça me coince. Et puis le chat, surtout ! Comment veux-tu que je... Que je... Aah ! Non, c'est pas possible : c'est lui ou moi !

Karyne le prend dans ses bras, lui colle un bec sur la joue. Bref silence de soulagement malgré la proximité canine d'Anubis, qui dresse les oreilles.

– Bon, alors on va chez toi.

Coincé entre le vieux Québec et Montcalm, le quartier d'Orville appartient aux chats, qui hantent la moindre cour, la plus petite ruelle, se perchent sur les toits et les murs, espionnent aux fenêtres, s'évanouissent et réapparaissent au gré d'itinéraires secrets. Orville lui-même, depuis le temps qu'il y vit, se sent parfois pousser des vibrisses – mais personne dans le quartier n'aurait la macabre idée de momifier un félin. De toute manière, les chats d'ici ne meurent pas : ils disparaissent nuitamment pour d'étranges destinations de chats, évidemment inaccessibles aux humains.

Karyne, en passant la porte, se cogne le tibia sur un gros cube non identifié. Elle ouvre la lumière en se frottant la jambe et découvre une vingtaine de caisses éparpillées un peu partout, sous la table du salon, sur le divan, dans la garde-robe. Sur chaque caisse est imprimé, à côté des armoiries d'une université new-yorkaise : *Brazil Expedition 1994*. Inquiète, elle demande à Orville qui vient de la rejoindre :

– Orville... Est-ce que je dois comprendre que... ?

– T'en fais pas : ils sont tous morts, dûment passés à l'acétate d'éthyle et épinglés sur liège. Et tu remarqueras que moi, j'ai résisté à l'envie de les déballer...

Elle s'avance dans le salon, guettant craintivement les nombreuses caisses qui encombrent la pièce. Elle fait mine d'en toucher une, du bout du doigt.

– *(Vaguement dubitative.)* Tous morts ?

– Sauf les chrysalides dans le frigidaire.

– Mon Dieu ! C'est une farce ?

– Calme-toi : elles sont dans un contenant parfaitement hermétique. Et puis les gars de l'insectarium viennent chercher tout ça dès demain.

Elle n'ose plus toucher à quoi que ce soit ; elle s'assiérait bien, histoire de se calmer, mais se méfie de cette grosse boîte insidieusement installée sur le divan. Elle ne sait plus quoi faire, où poser son regard pour ne plus voir ces caisses remplies d'insectes : elle en imagine de toutes les formes, avec des pattes par dizaines, des élytres verdâtres, des anneaux gluants, des scolopendres, des blattes géantes, des arachnides poilus et spongieux, des larves félinophages – sans compter les plus *terrifiantes,* ces chrysalides pernicieusement terrées au fond du frigidaire, cachant on ne sait quelles bestioles indescriptibles et inimaginables, pourvues d'un nombre incalculable de vies et capables de croquer n'importe quoi, de la chair putréfiée à l'acier inoxydable ! Karyne s'est depuis longtemps habituée aux quelques spécimens épinglés sous verre qui décorent l'appartement d'Orville – mais là, cette abondance, c'est une écœurante invasion à peine dissimulée !

Elle retourne dans le vestibule, contourne Orville et tourne la poignée de porte, qui résiste traîtreusement avec des grincements de rouille. Horreur : il ne l'a pas encore fait réparer !

– Karyne, détends-toi ! Tu paniques pour rien !

Elle fait volte-face et, après une demi-seconde d'hésitation, traverse le salon d'un pas décidé, ouvre la porte du balcon et sort en coup de vent. Orville la rejoint dans l'escalier de secours, qu'elle descend d'un pas hésitant. Un chat s'esbigne silencieusement.

– Écoute, Orville, qu'elle fait en agrippant sa chemise, je te comprends de pas vouloir baiser chez moi à cause d'Anubis, ou à cause d'une momie de chat coincée dans le tiroir à légumes – mais tu peux pas me demander d'accepter tes insectes. Y en a *trop* ! Tu le sais, moi, à part le scarabée royal... Et puis tes chrysalides, c'est comme... des espèces de petites momies – mais les miennes, au moins, elles sont mortes pour de bon : quand on en dissèque une, l'embaumé est à faire peur, mais il ne risque pas de se propager à gauche et à droite, d'envahir le système d'aération ou de pondre sous ta peau ! Mes momies, elles sont franches – c'est pas comme tes chrysalides...

Orville la prend dans ses bras et elle marmonne la fin de sa diatribe dans son cou. Petit silence embêté. Les voilà empêtrés dans un cul-de-sac : impossible de rester chez lui, impossible de retourner chez elle – et pas question de louer une impersonnelle chambre d'hôtel. Après six mois de hamada et de forêt vierge, on peut tout de même exiger de passer la nuit en terrain connu. Mais un escalier de secours n'est jamais un terrain connu, et Orville se sent plongé dans un mauvais film d'horreur de série B : « En programme double, ce soir, *Le massacre nocturne de la momie maudite* suivi des *Insectes géants envahissent New York*. » Il rigole tout bas. La ruelle sur laquelle donne l'escalier est plongée dans la noirceur la plus totale ; ils sont seuls, hormis Aldébaran, la chatte de la voisine, qui les espionne discrètement, juchée sur la gouttière.

– Et puis zutre, soupire Karyne en déboutonnant la chemise d'Orville, un escalier de secours, c'est fait pour les cas d'urgence.

À la dérive

Arctique affectif, n. m. (1906 ; de *affective arctic,* expression
tirée du livre *Nearest the Pole* de Robert Edwin Peary). Les
cartographes, créatures peu ferrées en géographie de l'âme,
ne distinguent généralement sur leurs ouvrages que les nords
magnétique, cartographique et géographique. Tout navigateur
peut cependant percevoir un nord affectif dès que ces autres
formes de nord s'estompent et que s'installe le désespoir :
lorsque la boussole s'emballe, que les cartes marines deviennent illisibles et qu'un plafond nuageux cache les étoiles.
Responsable de plusieurs grandes découvertes et de quelques
naufrages. Voir **Fil à plomb du désir.** (*Encyclopédie du petit cercle,* tome I, p. 184.)

Les directives énoncées dans le *Règlement technique du
Département du Nord, version 3.1.2* – épaisse brochure de
papier journal distribuée aux employés en guise de cadeau de
Noël – sont très strictes à ce sujet : *il ne faut jamais, à aucun
moment et sous aucun prétexte, quitter la boussole des yeux.*
Karyne le sait bien, qui a récité ce verset chaque matin pendant
des années, entre la prière de groupe et l'étude du *Petit
catéchisme raisonné.* Les enfants destinés à devenir techniciens
pour le Département du Nord ne reçoivent pas une éducation
approximative, ce qui constitue d'ailleurs le principal défaut

de cette éducation : comment enseigner l'infaillibilité d'un système tout en inculquant l'art d'affronter ses éventuelles défaillances ? Le perfectionnisme souffrant assez mal le paradoxe, cette fiente de la logique, le conseil des professeurs a décidé de remplacer le cours sur les *Diverses déviations techniques* par une séance hebdomadaire de *Métaphysique de la navigation* – de sorte que Karyne ignore tout à fait ce qu'elle doit faire, empêtrée qu'elle se trouve dans la noirceur d'une inconcevable panne d'électricité qui l'empêche totalement de lire la boussole.

Ayant trouvé une lampe de poche dans un coffre, elle retourne illico à son poste pour se rappeler que l'aiguille de la boussole fonctionne sur coussin d'air. Sans électricité, pas de nord. Karyne se gratte la tête, embêtée. Elle note l'heure d'arrêt de la boussole dans le journal de bord, et commence à se tourner les pouces en attendant le retour de la lumière. Une minute passe, au terme de laquelle elle s'avise de la proximité des récifs de l'Arårat, donc de l'importance de garder le vaisseau orienté dans l'axe du corridor aérien. Son professeur d'histoire de la navigation prétendait souvent, cartes du ciel à l'appui, que les hommes de l'Antiquité se dirigeaient à l'aide de l'étoile polaire. Il serait aisé de monter sur le pont et de trouver ladite étoile polaire pour savoir si le vaisseau a dérivé ; toutefois, le règlement interdit formellement de quitter les étages inférieurs après le couvre-feu.

L'électricité n'étant toujours pas rétablie après cinq interminables minutes, Karyne décide de monter sur le pont, prête à expliquer au surveillant qu'il y avait urgence. Et puis, ça ne prendra que trente secondes : le temps de sortir, de trouver la Polaire et de redescendre. Elle enfile un vieux caban, y glisse le journal de bord, monte l'échelle et ouvre l'écoutille. De la passerelle, elle peut constater que le *Lagerlöf II* est plongé dans la noirceur de la poupe à la proue. Seules les lumières d'une ville sont visibles tout en bas, dans une percée des nuages – probablement Sundsvall.

Reprenant ses esprits, elle lève la tête et titube sous le choc : n'ayant pas vu le ciel nocturne depuis son enfance, elle ne se rappelait pas qu'il contenait tant d'étoiles. S'il avait fallu croire les schémas du cours d'histoire, les ancêtres n'auraient bénéficié que d'une petite trentaine d'entre elles, et non de cet incroyable labyrinthe stellaire. Après quelques minutes d'observation, elle parvient tout de même à localiser la Polaire, laquelle indique que le vaisseau n'a pas dérivé. Rassurée, elle décide de rester sur la passerelle afin de ne pas quitter des yeux sa boussole céleste, en l'occurrence la seule boussole des parages qui daigne indiquer le nord. Au bout d'un quart d'heure, l'électricité est rétablie et Karyne doit, à contrecœur, redescendre à la timonerie.

Monsieur Gotop l'apostrophe le lendemain soir en brandissant la masse menaçante du journal de bord :

– Mademoiselle Stern ! Pourriez-vous m'expliquer les obscures raisons pour lesquelles vous avez noté, la nuit dernière, entre 23 h 02 m et 23 h 25 m 21 s : « dérivation nulle » ? Ignorez-vous qu'en cas d'incertitude il vous faut inscrire « dérivation inconnue » ? Ou encore « dérivation estimée nulle », formule moins orthodoxe mais à la rigueur acceptable ?

Karyne, ne croyant plus utile d'expliquer qu'elle a contourné le règlement du couvre-feu, se mord la lèvre en opinant de la tête. Elle approuverait n'importe quoi pourvu qu'il ne remarque pas, dépassant de son sac, le gros in-folio qu'elle est allée chercher cet après-midi à la bibliothèque du Département scolaire. Étant parvenue à se glisser dans l'Enfer, ce cagibi servant à entreposer les ouvrages à l'index, elle a fait main basse sur le premier volume d'une *Encyclopédie en trois tomes des Étoiles*, *constellations et autres luminots célestes, précédée d'une Petite histoire de la mythologie nocturne* – précisément le genre de lectures qui peuvent mener au Département de l'entretien.

Sa vérification des registres achevée, monsieur Gotop part en grommelant, abandonnant Karyne à son tête à tête quotidien avec la boussole. Passé le couvre-feu, alors que plus personne ne risque de venir la surprendre, Karyne extirpe le livre de son sac et se laisse bercer par l'étrange dialogue du journal de bord et de l'encyclopédie.

LE JOURNAL DE BORD, *exact* – 20 h 37 m 45 s, 147°04', lat 59°14' 12" N, long 18°02'45" E, alt 634,3 m ?

L'IN-FOLIO, *faussement grandiloquent* – Le ciel constituait jadis un lieu de refuge contre les persécutions et les menaces, ce *no man's and no God's land* se constellant au rythme des magnanimités divines. Ainsi Hélicé et sa sœur furent-elles transformées en Grande et Petite Ourse afin de se soustraire à l'ire de Kronos ; ainsi les Pléiades échappèrent-elles aux chasses d'Orion ; ainsi Gagarine put-il s'abstraire du limon originel où se vautraient encore les hommes.

LE JOURNAL DE BORD, *précis* – 20 h 42 m 12 s, 147°04', lat 59°13'02" N, long 18°03'12" E, alt 634,2 m.

L'IN-FOLIO, *pince-sans-rire* – La science moderne possède certes sa mythologie, mais elle ne diffère que fort peu de la mythologie classique : l'épopée des *Cinq semaines en ballon* remplit les mêmes fonctions que le voyage circumterrestre d'Abasis sur la flèche d'Apollon. Il s'agit dans les deux cas, au-delà des préoccupations narratives et poétiques, de proposer une allégorie du monde, un ordre des choses. C'est pour cela, abstraction faite des moyens mis en œuvre, que la science n'a jamais cessé de redécouvrir autre chose que la roue.

LE JOURNAL DE BORD, *obstiné* – 20 h 53 m 54 s, 147°04', lat 59°11'52" N, long 18°03'39" E, alt 634,1 m !

À la dérive

L'IN-FOLIO, *pouffant* – En mythologie scientifique moderne, le jour et la nuit constituent des entités antagonistes, et non deux masques d'une même divinité. Le mythe central de la science moderne relate donc la quête de la connaissance, symbolisée par une guerre interminable entre la nuit et le jour, dans laquelle le scientifique joue le rôle de Prométhée, cet incorrigible bailleur de feu. La nuit demeure cependant inexpugnable et, pour peu qu'on parvienne à la chasser, elle reviendra dès le coucher du soleil cachée dans un grand cheval de bois.

LE JOURNAL DE BORD, *exaspéré* – 21 h 04 m 46 s, 147°04', lat 59°11'43" N, long 18°04'09" E, alt 634,0 m ! !

Les yeux rougis de fatigue, Karyne termine la *Petite histoire de la mythologie nocturne* vers 21 h 45 m 34 s. Elle bâille longuement, s'étire sur sa chaise et jette un coup d'œil distrait à la boussole qui marmonne imperturbablement sa mélopée de degrés et de minutes. Elle bâille de nouveau et hésite un instant, avant d'enfiler son caban, de prendre le journal de bord et d'ouvrir l'écoutille. Une fois sur le pont, elle s'assoit sur un coffre à parachutes et boutonne frileusement son col de manteau, dans lequel s'engouffre le vent glacé du large. Dans le sillage du *Lagerlöf II*, sur tribord, elle entrevoit le nuage lumineux de Stockholm qui tourbillonne et s'éloigne insensiblement. Karyne localise tout d'abord l'étoile Polaire, histoire de prévenir toute dérivation, puis elle s'abandonne aux mirages glacés qui valsent au-dessus de la mer Baltique.

Le lendemain soir, monsieur Gotop l'accueille en secouant bien haut le journal de bord tout fripé.

– Mademoiselle Stern ! Pourquoi diable avez-vous inscrit, hier soir, à 22 h 43 m 21 s : « Passage d'Orion, se dirigeant vers 185°23' à une vitesse approximative de cinquante nœuds » ? Et à 22 h 48 m 12 s : « Manifestations sonores de Crotos à 97°43',

48° au-dessus de l'horizon » ? Qu'est-ce que c'est que ces balivernes ? Seriez-vous une émule d'Achab, mademoiselle Stern, une piétineuse de sextant ? Gardez l'œil à la boussole et cessez de rêvasser, si vous ne voulez pas être mutée à l'entretien !

Karyne évite surtout de lui rétorquer qu'elle se sent beaucoup plus proche d'Ishmaël – le panthéiste de la vigie – que de son capitaine : la littérature, particulièrement celle de Melville, n'est jamais bien vue à bord. Elle se contente d'aquiescer en baissant la tête. Quelques heures plus tard, lorsque le soleil est enfin couché, passée la lumière zodiacale, elle fait un pied de nez à l'ombre de monsieur Gotop, attrape le journal de bord et monte sur le pont.

Sous ses pieds, elle sent le grondement des moteurs, confondus avec les ronflements de l'équipage et des passagers. Lorsque à six heures les tribordais descendront dormir, tout ce beau monde sortira de la couchette en bâillant et ira passer la vadrouille, graisser les turbines et inspecter les cales, pendant qu'à la timonerie une autre Karyne viendra guetter la boussole, comme à tous les jours depuis son adolescence, sans protester. Ainsi va la vie à bord.

En soupirant, Karyne regarde monter Orion au-dessus de l'horizon ; sous les trois étoiles du baudrier, elle remarque la minuscule muqueuse de M42, lointain amas de fœtus. Quelques degrés plus haut elle identifie, non sans fierté, la belle Aldébaran, et la petite troupe des Pléiades qui frôle le zénith. Karyne serre les dents et pense à la boussole. Elle remarque soudain que la Polaire a changé de position par rapport à la proue : le *Lagerlöf II* dérive ostensiblement vers les 190°, droit vers l'Allemagne. Karyne sourit : elle n'a plus le choix. Elle se dresse dans le vent et, de toutes ses forces, projette le journal de bord qui décrit une longue courbe au-dessus de la mer avant de disparaître dans la nuit.

À la dérive

Elle ouvre le coffre, enfile un parachute et ajuste les sangles. Puis, avec un grand élan, elle saute par-dessus bord dans le vertige de la Baltique. Après un moment, au large de la Suède, le nylon de son parachute fait un petit point blanc qui hésite, s'arrête et remonte, sans doute happé par un courant ascendant. Ce n'est bientôt plus qu'une poussière lumineuse qui se perd dans le ciel, parmi les autres étoiles.

Le temps perdu

Attrape-méduse, n. m. (1838 ; d'après le livre de Dinar
Renki, *Le Jas de Kronos*). C'est Enrik Gründer, dans son
précurseur *Dictionnaire de la mitraille allégorique,* qui fut
le premier à identifier en la méduse un symbole de la cécité
du Temps. La perception aquatique du temps (Calvet : « *Le
temps est un ruisselet qui chante autour de l'abîme* »)
jouxtant nécessairement l'imagerie halieutique (Renki :
« *Capte dans tes rets le frétillement des années natatoires* »),
l'attrape-méduse désigne toute méthode par laquelle on
prétend rattraper le temps perdu, généralement en vain.
Signalons pour la petite histoire que Enrik Gründer fut
condamné à l'exil par le Parti Nationaliste Septentrional, qui
jugeait trop exotiques les symboles répertoriés dans son
Dictionnaire. Il s'en fut alors rejoindre Dinar Renki sur l'île
d'Ithaque, où ils renoncèrent tous deux à la philosophie pour
se consacrer à la pêche au thon. (*Encyclopédie du petit cercle,*
tome I, p. 213.)

E t la voici plantée sur le ponton, les bras ballants devant
Cybèle, follement amoureuse. François-Luc, qui regardait
ailleurs, continue de marcher tandis que Karyne reste figée,
à contempler ce superbe sloop bleu nuit aux garnitures de
bois verni et de laiton – rien à voir avec la fibre de verre et
l'aluminium des voiliers habituels. Elle jette un coup d'œil

admiratif à l'imposant équipement : la *Cybèle* est manifestement parée pour le tour du monde, quasi prête à appareiller,
déjà frémissante – mais une grosse pancarte *À vendre* la retient
ancrée au ponton de la marina de Sainte-Foy. Karyne a reconnu
la *Cybèle* dès la première seconde : elle est son rêve de toujours,
une invitation impossible à refuser.

François-Luc revient sur ses pas et regarde Karyne, incapable comme toujours de deviner ses pensées. Il la prend par
la taille et tente de lui donner un baiser dans le cou, mais elle
se dégage distraitement pour aller inspecter la coque de plus
près. Combien la *Cybèle* peut-elle valoir ? Karyne soupèse
rapidement la masse des économies qu'elle croyait conserver
pour ses vieux jours : quelques pesos rescapés de ses études au
Mexique, une poignée de dollars gagnés plus ou moins légale-
ment en Tunisie et au Maroc – mais surtout l'imposant legs de
ce vieux pirate de Tonton Georges, qui l'a sans doute choisie
pour héritière d'entre toutes ses nièces parce qu'entre moutons
noirs il faut bien s'épauler.

Les vieux jours étant loin et la *Cybèle* sous ses yeux, Karyne
décide d'appeler immédiatement le propriétaire. Avisant une
cabine téléphonique près du restaurant de la marina, elle abandonne François-Luc qui n'y comprend décidément rien.

Journal de bord de la Cybèle
2 mai 1995

*Je suis incontestablement folle : de riche que j'étais, lavée
de toute inquiétude financière, caressant l'idée d'aller gri-
bouiller des haïkus paresseux dans le calme de l'anse du
Chafaud, me revoici presque pauvre – et la dèche absolue ne
saurait tarder, avec toutes les dépenses que nécessite ce projet
de fou. Tout ça sur un coup de tête !*

J'hésitais encore, malgré la perfection du voilier, à faire le saut... C'est en inspectant la cabine que, pour mon malheur, mon regard s'est arrêté sur l'horloge, sur son superbe cadran de laiton numéroté de 1 à 24 et sa fine trotteuse rouge cerise. Je l'ai délicatement remontée, j'ai écouté son tic tac sec et précis, l'oreille collée au verre, le cœur battant. L'appel que je ressentais était inexplicable, absurde, idiot.

Je me suis retournée vers le propriétaire, un irrécupérable blasé, et j'ai commencé à discuter fric tandis que François-Luc, resté sur le pont, gueulait aux goélands qui voulaient l'entendre que j'étais sans l'ombre d'un doute tombée sur la tête.

Une semaine plus tard, Karyne ancre la *Cybèle* à l'anse du Chafaud aux Basques, devant le petit chalet qu'elle a loué en octobre dernier. Il ne lui reste plus beaucoup d'argent, mais baste ! elle va enfin pouvoir le réaliser, ce voyage dont elle rêve depuis des années, depuis son stage en Colombie, en fait, où Jorge Luis lui a inculqué les moindres subtilités de la navigation à voile. Lorsqu'elle a su manœuvrer seule un sloop de trente-cinq pieds, elle a envoyé paître un professeur de voile devenu salement possessif.

Puis elle est partie se perdre dans la forêt vierge sans toutefois parvenir, même sur les plus hauts plateaux du Goiás, à se débarrasser de l'espoir idiot d'explorer un jour les atolls déserts du Pacifique Sud. Mais pour posséder un voilier sans endurer quelque Jorge Luis friqueux à bord, il faut être soi-même riche. Riche, Karyne l'a été pendant les trois mois qui ont séparé la lecture du testament et sa rencontre avec la *Cybèle*. Pauvre comme devant et exilée à trois kilomètres du plus proche voisin, elle s'affaire maintenant à mettre en ordre ses rêves et son matériel, à déterminer le trajet, à compléter dix mille formulaires – et à sortir chaque jour avec la *Cybèle,* histoire d'apprivoiser cet oiseau capricieux.

Karyne aime Cybèle avec minutie : elle frotte sans cesse le pont, tient en ordre le plus petit coffre de cale, s'échine à faire reluire la moindre surface de laiton ou de bois vernis, ne supporte pas le plus malheureux grain de sable dans la cabine. Sans compter l'horloge, dont elle vérifie la précision quatre ou cinq fois par jour, et qu'elle remonte avec une méticulosité quasi maladive : elle commence par faire tourner la clé de laiton une quinzaine de fois, imprime encore quelques tours prudents, évitant toute tension excessive du ressort, puis écoute avec attention et plaisir le tic tac imperturbable de la trotteuse rouge cerise.

Elle accomplit ce rituel chaque soir et lorsqu'elle décide de coucher au chalet plutôt que sur la *Cybèle,* elle met tout de même le zodiac à l'eau pour aller remonter l'horloge et vérifier que les aiguilles n'ont pris ni avance ni retard.

Un soir, au début de juin, elle se rappelle distraitement l'existence de François-Luc et prend conscience qu'elle ne lui a pas parlé depuis l'irruption de la *Cybèle* dans sa vie, il y a un mois. *Tout ça,* pense Karyne, *devient décidément trop statique.* Elle se sent des besoins de débâcle, de dérive au long cours. À tout hasard, elle décide de lui téléphoner. Elle grimpe sur son vélo et s'attaque à la redoutable côte Croche jusqu'à la cabine téléphonique de la station Irving. François-Luc n'est pas chez lui, ou refuse de se manifester, et Karyne raccroche au nez du répondeur. Il doit bouder, elle le connaît. Après quelques emplettes au dépanneur de la station-service, elle redescend au chalet en sifflant une vieille chanson dont elle a oublié le titre.

Elle a pris l'habitude, chaque fois qu'il n'y a pas de réponse chez François-Luc, de l'indiquer par une encoche sur le chambranle de la porte du chalet : une encoche courte pour les jours de semaine, une longue pour les dimanches. Au début, chaque encoche lui faisait mal comme si elle eût joué du couteau dans sa propre chair plutôt que dans le bois de la porte. Elle ne s'est jamais plainte : c'était elle, après tout, qui avait tenu mordicus à s'exiler dans une petite anse déserte de la Côte-Nord, sans téléphone ni télévision. Elle a donc douloureusement continué à tailler les encoches pour sonder la profondeur de son entêtement, et aussi celle des bouderies de François-Luc. Mais la douleur s'est vite résorbée et, maintenant, chaque coup de canif lui allège l'esprit – tout en témoignant de bouderies de plus en plus tenaces.

Ayant taillé l'encoche de la soirée, elle se rend sur la *Cybèle* pour remonter l'horloge, et y reste à coucher.

Journal de bord de la Cybèle
3 juin

J'ignore pourquoi tous les soirs, avant de me coucher, je persiste à étudier le moindre quadrant de mes cartes marines : le haut-fond Prince, les mouillages jusqu'à Pointe-des-Monts, les courants côtiers de la Gaspésie. J'imagine pouvoir connaître le fleuve par cœur avant mon départ. Pourtant, je résiste à conférer quelque valeur que ce soit à la cartographie : les îles que j'espère ont émergé d'une tectonique du rêve, de ma dérive des plaques personnelle. Figée dans ses coordonnées circulaires, la cartographie demeure à jamais en marge de ce qu'elle tente de décrire. En préparant mon voyage sur cartes, j'essaie en fait de déduire le rêve d'une dormeuse de ce qui l'entoure, tel Dalí observant une abeille vrombir autour d'une pomme-grenade.

François, qui est plutôt cartographe que rêveur, méprise sans doute mon projet de voyage. Je ne peux pas l'en blâmer : il est né avec une balise géodésique à la place du cœur. Et c'est de bonne guerre, après tout, puisque je refuse d'habiter dans son douillet appartement de Sainte-Foy-la-Banlieue. Chacun son cauchemar.

La lune, qui s'est levée vers minuit, éclaire vaguement la cabine de la *Cybèle*. Karyne dort dans la couchette, lovée entre le réservoir à diesel du moteur et la coque. Il lui a fallu du temps avant de s'endormir, obsédée par l'image de la balise géodésique. La *Cybèle* tourne lentement sur elle-même et un rayon de lune traverse la cabine, descend de l'horloge, court sur le plancher, saute la table à cartes et tombe sur le visage de Karyne en y faisant briller une petite goutte de sueur. Tout semble calme.

Puis la marée commence à baisser, et le jusant accentue doucement le roulis de la *Cybèle*. Karyne frémit dans son sommeil. Le crayon qu'elle a laissé près du journal de bord roule aller et retour sur la table à cartes, avec un bruit d'insecte. Dans la mâture, le réflecteur radar cogne bruyamment contre le hauban de bâbord. Karyne se tourne sur le ventre, et l'odeur de diesel, embusquée autour du réservoir, lui saute au visage ; elle plisse le nez et se retourne sur le dos en gémissant. Une épissure de cheveux se prend dans sa bouche et une goutte de sueur coule dans son cou. Un paquet de biscuits glisse du comptoir, tombe sur le plancher avec un bruit mat et un nuage de miettes crépite dans toutes les directions ; le réflecteur radar cogne de plus belle contre le hauban, une petite porte mal fermée grince et claque un coup, puis deux autres, la pompe de cale se met à bourdonner, le plancher craque, et craque, et craque – et Karyne se réveille en hurlant.

Dressée dans la noirceur, essoufflée et grelottante, elle écoute les battements anarchiques de son cœur, tandis que l'horloge égrène son imperturbable tic tac.

Dehors, la mer bat mollement contre la coque en murmurant des mots inconnus.

Elle se lève, le lendemain matin, avec un goût de laiton dans la bouche. Sa nuit l'a mise de mauvais poil. Avant de retourner à terre, elle fait le tour de la cabine avec le sentiment d'oublier quelque chose : avisant l'horloge, elle la remonte avec le soin habituel et la regarde quelques secondes, la tête ailleurs. Elle tente vainement de se souvenir du rêve bizarre de la nuit dernière, décide de gober une Tylenol pour faire passer son mal de tête.

Une implacable résolution s'empare d'elle.

Elle saute dans le zodiac et rame jusqu'au chalet où, sans attendre, elle enfourche son vélo et monte immédiatement la côte Croche. Arrivée au Irving, elle empoigne le téléphone et ferre François-Luc au lit, encore tout pâteux de sommeil. En découvrant cette chose flasque au bout de la ligne, elle se sent d'emblée contrariée. Elle commence à tailler nerveusement des encoches dans le plastique du téléphone avec son canif.

– Non, je viendrai pas à Sainte-Foy en fin de semaine. Suis trop occupée par les préparatifs : j'ai même pas encore fini d'organiser les escales de Madagascar et Bornéo.

– ...

– Bor-*né*-o ! Comme « borné ». C'est le seuil du Pacifique, en Indonésie. Après l'île de Bornéo on n'a plus qu'à se faufiler en Mélanésie pour atteindre Tahiti et aller faire guili-guili à Gauguin. Mais écoute, je suis pressée, je prendrai pas quatre chemins : viens-tu avec moi ?

– ...

– Quoi, ton agenda ? Je te parle pas d'engraisser ton cévé ou de regarder pousser le gazon sur les terre-pleins de boule-vards : je t'offre la terre entière ! L'Afrique, l'Océanie ! Le Pacifique ! Tu te crois immortel, ou quoi ? T'es en train de gaspiller ta vie, et tu...

– ...

– Ouais, t'as parfaitement raison : c'est pas mes oignons !
Bye !

Elle raccroche, complètement vannée, et s'appuie au chambranle de la cabine pour contempler le fleuve. Encore un autre homme de largué par-dessus bord – et au nom de quoi ? Au nom du temps qui passe trop vite, au nom de Tahiti et de Gauguin ? Au nom de Cybèle ? Au nom du monde entier, que l'on offre toujours à ceux qui ne savent pas quoi en faire ?

Karyne ne se comprendra décidément jamais.

Un kilomètre plus bas, le fleuve migre mollement vers l'Atlantique dans le soleil du matin. Karyne imagine les milliards de tonnes de grains de sable qui roulent dans son lit, écrasées sous le poids éternel de l'eau. Lorsqu'elle habitait le Bas-Saint-Laurent, dans son enfance, elle croyait qu'un géant avait jadis pulvérisé l'énorme Sablier Originel, libérant de leur prison toutes les plages du monde, et elle cherchait sur la grève les éclats de verre poli en tentant de se figurer la lente descente du temps vers la mer.

Elle respire longuement, desserre les poings et éclate de rire. Puis, en souriant, elle glisse son canif dans sa poche de chemise, saute sur son vélo et redescend la côte Croche à toute vitesse en chantant faux et à tue-tête *La mer n'est pas la mer*.

Dans la grande course qui précède le Départ, Karyne n'a plus une minute pour briquer les ferrures de la *Cybèle* : elle monte sans cesse au Irving pour téléphoner, dresse d'impressionnantes listes d'épicerie, aménage la cabine pour un tour du monde en solitaire (quel con, ce François-Luc). L'horloge, qu'elle ne songe plus à remonter qu'occasionnellement, accuse toujours plusieurs heures de retard ou d'avance. Karyne y jette parfois un regard indifférent, donne quelques coups de clé distraits et repart vaquer à autre chose, laissant la *Cybèle* dériver hors du temps.

Journal de bord de la Cybèle

Je me démène, me démène – mais y a-t-il quelque chose à y comprendre ? Je nous ai affranchies, Cybèle et moi, de ceux qui se croyaient nos propriétaires respectifs ; j'ai pris soin de nous ; je nous ai apprêtées à toute vitesse pour le tour du monde – et voici qu'à la veille du départ, j'hésite et je balbutie. Il me semble l'avoir déjà accompli, ce voyage, comme si j'avais devancé la course des années, penchée sur mes cartes. Le temps n'est peut-être pas une maladie incurable, après tout...

Au coucher du soleil j'ai fait, des noms de mes anciens amants, une longue liste que j'ai lancée à la mer après l'avoir scellée dans une canette de Coke vide.

Je me demande si l'aluminium va résister longtemps à l'eau salée.

Karyne se réveille à l'aube, après une nuit sans rêves. Elle jette un coup d'œil distrait au baromètre et sort sur le pont en dévorant une tartine au miel. Les sourcils froncés, elle étudie la force du vent et la texture des nuages, scrute la couleur du fleuve au large. Puis, elle hoche la tête en souriant.

Belle journée pour lever l'ancre.

Tout en libérant la grande voile de sa housse, elle repasse mentalement les gestes de la veille, s'assurant qu'elle n'a rien oublié : elle a épousseté le chalet une dernière fois, graissé le dérailleur du vélo, mis le cadenas sur la remise. Avant de hisser la voile, elle s'appuie à la bôme, les yeux mi-clos, et hume le vent, où elle devine déjà le parfum de la vanille et des mangues.

Elle se rend alors compte qu'elle n'a plus remonté l'horloge depuis au moins deux semaines : dans le grand silence du matin, même en tendant l'oreille la plus fine, la cabine demeure profondément silencieuse. Karyne y descend, remonte sur le pont et, d'un coup de pied libérateur, envoie voler l'horloge par-dessus bord. Elle éclate au zénith d'une longue courbe, et de ses ventricules jaillit une constellation de rouages délicats, de molettes microscopiques, de ressorts en spirales – petits cercles de métal qui brillent un instant avant de pleuvoir dans l'eau olivâtre du fleuve.

Karyne se frotte les mains et, avec un sourire irrépressible, hisse la grande voile.

Printemps

Chenilles gastriques, n. f. p. (IIe siècle ; attribué à Pline l'Ancien dans un codex méconnu de sa *Naturalis Historiæ*). Forme larvaire d'un parasite commun chez l'homme. Les colonies de chenilles gastriques s'installent dans l'estomac où elles provoquent une accumulation nocive de fils de soie. L'hôte pourra ressentir divers symptômes, dont les plus fréquents sont une paralysie des bras, un intense découragement et une tendance à raconter n'importe quoi. Différentes méthodes peuvent être mises à profit pour se débarrasser de ces importuns insectes, la plus fréquente étant de les refiler à quelqu'un d'autre. Voir **Nœud papillon, Lombric des limbes.** (*Encyclopédie du petit cercle,* tome I, p. 431.)

Malgré les reliefs de sommeil qui encrassent ses yeux, Orville parvient à identifier le lambeau de journal que brandit son frère Wilbur d'un poing enragé : il s'agit de la page des arts visuels de la *Gazette,* sur un coin de laquelle se lit encore vaguement le nom de Peter Vlumt, critique d'art redoutable, et un titre lapidaire : « Overwhelmingest Exhibition Ever Seen in Audubon Gallery. » Il est six heures du matin et l'indignation de Wilbur se répand dans le vestibule, mêlée à l'odeur d'encre fraîche de la *Gazette.*

– Lis ça, non mais lis ça : « suffering of such obesity, Wilbur Korek's pictural imaginary can hardly extricate itself out of its

own mediocrity ! » Et puis regarde l'article dans *Parachute* :
« La démarche spatio-picturale de Korek parvient à reproduire,
dans ses moindres nuances, l'effondrement d'un trou noir sur
lui-même. »

Excédé, il jette en l'air deux ou trois autres journaux qui
planent un peu, mais retombent vite sur leurs têtes.

– Dans tous les articles ils parlent de lourdeur, de gros
tonnage, d'éléphantiasis ! Ils se sont donné le mot, Orville !

– Tu sais *(répond Orville en bâillant)* que tu es sûrement le
premier à vouloir intégrer des poutrelles d'acier de seize pouces et des grilles d'égout à l'aquarelle ?

Wilbur lève les bras afin de manifester clairement son exas-
pération : décidément, personne ne le comprendra jamais.
Orville profite de ce bref moment de mutisme pour se diriger
vers la cafetière. Tandis que le café glougloute dans le pyrex,
il parcourt d'un œil distrait les articles concernant l'exposition
de Wilbur et l'écoute délirer.

– Ils veulent du léger, de l'aérien ? Ils vont en avoir !
Orville, trouve-moi des papillons blanchâtres, des gros, environ
une centaine. C'est possible, à ce temps-ci de l'année ?

– Mmh, ça doit pouvoir s'arranger. Il faut justement com-
mander des chrysalides pour l'insectarium, cette semaine. Je
pourrais sûrement te dégoter plusieurs centaines de piérides du
chou pour trois fois rien. C'est quasiment du vrac, les piérides.
Elles écloraient en octobre. Cela dit, tu as tort *(il bâille
longuement)* : j'aimais bien le coup des poutrelles d'acier, moi.

L'avant-midi même, Wilbur épingle les coupures honnies
sur les murs de son atelier et, enfilant son vieux sarrau, unique
vestige d'un bac en chimie jamais terminé, il commence à
expérimenter de multiples pigments : le plomb, le fusain, la
sanguine, le pastel sec, qu'il broie finement à l'aide d'un petit

pilon, et qu'il mêle aux liants les plus étranges. Il se lance ensuite dans l'encre, l'aquarelle, la gouache et l'acrylique, toujours insatisfait, regrettant de plus en plus ses poutrelles et sa soudeuse à l'arc.

Lorsque Orville débarque chez lui vers la fin octobre, Wilbur a finalement jeté son dévolu sur un subtil mélange d'acrylique et de gouache qu'il pulvérise à l'aérographe, avec une délicatesse quasi maladive, sur un papier de soie grossier. Wilbur se penche avec fascination sur les boîtes qu'Orville a déposées sur la table. Des douzaines de piérides sont plaquées contre le liège par de fines bandelettes de papier, qui ne sont pas sans évoquer de minuscules ceintures de sécurité pour papillons.

– Ils sont morts ?

– Évidemment. Dès qu'ils sortent de la chrysalide et que leurs ailes sont sèches, crac ! : acétate d'éthyle et épinglage. Personnellement, je préfère les bandelettes de papier aux épingles : les ailes gardent une meilleure position et ça bousille moins les insectes. Au fait : il va falloir les garder au froid en permanence, question de conservation.

– Au froid en permanence ! Et comment je vais travailler, moi ?

– Allons allons : je suis sûr que tu vas te débrouiller...

Et il se débrouille, Wilbur, laissant ses fenêtres ouvertes à tous les nordets afin de transformer son atelier en une chambre froide convenable. Mais pour s'adapter à la froidure, le vieux Kanuk rembourré ne suffit pas : il lui faut réapprendre à manier son mélange gouache-acrylique, qui ne réagit plus de la même manière à 5° Celsius, et maîtriser un canevas qui, nettement plus rétif que l'acier, refuse de se laisser faire. Il semble à Wilbur que le travail avance mal, que le travail n'avance pas, qu'il chemine sur une fausse piste et que les (damnés) journalistes, dont la prose le moque toujours depuis le mur, avaient peut-être raison en dénonçant la pesanteur de ses œuvres.

Orville ne partage pas cet avis, qui passe quotidiennement constater que la farce tropicale de son frère avance à grands coups d'ailes. Il anticipe en se frottant les mains la déconfiture des détracteurs habituels et, dans la bonne humeur, commence à organiser un vernissage printanier, pliant soigneusement sur la table de la cuisine les faire-part destinés aux critiques d'art les plus vaches, Peter Vlumt et tutti quanti. Wilbur ne s'explique pas cet enthousiasme soudain de son frère pour la logistique, mais il s'en réjouit tout de même et en profite pour peaufiner sa production en claquant des dents.

Un soir de fin mai, quelques douzaines d'invités se retrouvent à siroter leur coupe de vin à la galerie Audubon. Wilbur n'a rien accroché sur les murs et seuls quatre longs comptoirs réfrigérés, camouflés sous des bâches sombres, permettent de croire qu'il expose réellement *quelque chose*. Peter Vlumt trépigne d'impatience et commence à clamer à qui veut l'entendre que ce vernissage n'est qu'une *boring joke*, que Korek est meilleur conducteur de poids lourds que peintre, et autres tendresses de la sorte.

En entendant Vlumt, le directeur de la galerie décide de hâter son petit discours, immédiatement suivi de Wilbur qui, laconiquement, remercie son frère et propose de retirer les bâches des congélateurs. Orville, tout sourire, procède illico au dévoilement. La petite foule médiatique, qui daigne se pencher sur les comptoirs, y découvre avec ébahissement plusieurs centaines de papillons dont les ailes servent de canevas à de délicates miniatures en sfumato, tableautins subtils et surprenants. La surprise générale se transforme instantanément en admiration : on se presse autour des comptoirs, se compresse, se comprime afin d'observer de plus proche la fabuleuse collection de lépidoptères peinturlurés. On parle d'un renouveau de l'art naturaliste, d'entomologie korekienne, de reconquête des airs ; on s'engueule et on se réconcilie à grands coups d'opinions ; on renchérit sur le talent du peintre ; on fait fi, pour une fois, de l'avis de Vlumt – lequel hésite de toute manière, estomaqué et dubitatif, à crier au génie ou au gadjet. Tout le monde semble retomber en enfance, mentalement catapulté devant la vitrine du magasin de jouets du coin.

Sous l'effet de la chaleur que dégage cette foule agglutinée, les verrières commencent à se couvrir de buée et Orville ouvre les comptoirs afin que s'évapore la condensation. La masse journalistique se réchauffe encore davantage sous l'effet de l'excitation : de partout jaillissent des compliments exaltés évoquant dangereusement l'hystérie collective. On contemple tour à tour les papillons et Wilbur, on hurle au génie, on lui chante des dithyrambes en geignant et en soupirant, en criant, en jouissant, en serrant dents et fesses.

Mais à force d'être irradiés par toute cette admiration, les papillons décident subitement de sortir d'hibernation. Ils étirent leurs ailes, tournent sur eux-mêmes comme de petites figures de boîte à musique. Les battements deviennent plus vigoureux et hop ! ils décollent, un à un, mollement d'abord, hésitants, puis plus vite, s'égayant de-ci de-là, déjà hors d'atteinte. La stupéfaction initiale passée, les invités se rendent compte du danger encouru par la précieuse (et volage) exposition. Ils courent après ces petits inconscients de lépidoptères, sautent en se tortillant, hurlent à la négligence criminelle, cherchent des chaises, des escabeaux, des échafauds, des ascenseurs. Les papillons, agacés par cette désagréable cohue, s'élèvent de plus en plus vers une inquiétante fenêtre. Or, ladite fenêtre s'ouvre toute grande sur un puissant réverbère au mercure apparemment planté là afin de drainer et de calciner la bande de petits Icares insouciants qui volètent au plafond. Les invités, Vlumt en tête, se ruent dehors pour tenter une opération de sauvetage ridiculement vaine.

Les deux frères se retrouvent seuls dans la galerie. Wilbur, en se frottant le menton, regarde avec circonspection son frère dont le sourire évoque les plus beaux jours de la butte Montmartre. Il tente de demeurer parfaitement impassible, mais un léger frémissement de narine le trahit.

– Orville ?

– Wilbur ?

– Comment as-tu réussi à me cacher, surtout avec cette histoire de chambre froide, que tes foutues piérides n'étaient qu'en hibernation ?

La question n'appelant pas vraiment de réponse, les deux frères se contentent de regarder, l'œil ému, les derniers papillons passer la fenêtre. Un moment de silence s'écoule. Et ils se mettent à rire, d'abord tout bas, puis comme deux joyeux dingues, jusqu'à tomber à genoux, pris au ventre par une joie si énorme qu'ils ne peuvent plus que hoqueter, des larmes plein les yeux.

Dans la rue, sous la lumière blessante du mercure, les invités continuent de sauter et de gémir. Vlumt tente sans grand succès d'escalader le réverbère, environné par une neige de papillons calcinés. Trop occupés à composer des rubriques nécrologiques, les journalistes n'entendent pas le rire des frères Korek sortir par la fenêtre, danser en cercles autour de l'ampoule du réverbère et monter par-dessus les toits, vers les étoiles pâlottes.

Dans les limbes

Bombardement limbique, n. m. (1984 ; expression tirée du livre *Siqiniq Limbus* de Jean-François Burgau). Défoliation consécutive aux migrations de masse. Les zones bombardées deviennent impropres à toute forme de vie, principalement à cause des résidus mémoriels qui adhèrent aux pétioles et empêchent une nouvelle feuillaison. Ces zones présentent également des conditions propices au développement de vastes colonies de parasites affectifs (voir **Nœud papillon, Lombric des limbes, Chenilles gastriques**). L'incertitude généralisée qui règne dans les zones bombardées favorise en outre de fortes précipitations pluviales. Voir **Âme pluviale.** (*Encyclopédie du petit cercle,* tome I, p. 357.)

U ne longue dune de feuilles mortes a presque entièrement avalé la galerie et son escalier de vieux bois, depuis hier soir. Annie, qui tente de s'y frayer un chemin d'une jambe circonspecte, rate la première marche et déboule les neuf autres jusque dans le profond banc de feuilles qui s'étend à perte de vue – jusqu'au coin de l'avenue Brown. Elle reprend pied en se frottant l'épaule, enterrée jusqu'à la poitrine, et observe la mer de feuilles qui encercle son restreint horizon. Le paysage est submergé. Seuls émergent les toits des voitures et les poteaux électriques.

Elle voulait descendre au parc des Braves pour y ramasser des feuilles mortes, usant d'un épais catalogue de La Baie en guise d'herbier – mais il lui paraît soudainement idiot de s'aventurer jusque-là alors que les rues disparaissent sous quatre pieds de feuilles. Elle récupère son catalogue et y fourre pêle-mêle les feuilles d'érable, de chêne et de frêne que le vent lui pousse sous le nez. Lorsque le catalogue a doublé de volume, tout hérissé de pointes de feuilles et de pétioles, il commence à pleuvoir et Annie rentre se mettre à l'abri.

Elle ne s'habituera jamais au vide de la maison. Chaque fois qu'elle ferme la porte derrière elle, l'écho des pièces vides lui renvoie trois ou quatre autres claquements de portes – et elle garde l'impression désagréable de pénétrer dans un *no man's land* dévasté de la Première Guerre mondiale. Dans le vestibule, quasi mausolée familial, l'encerclent les photos des disparus : sa mère, morte la première après qu'une pieuvre se fût nichée sur son cerveau ; sa sœur Nathalie, victime d'un crocus sanglant lui ayant germé dans le crâne ; Alex, frère jumeau de Nathalie, qui s'est déchargé un fusil dans la tête l'automne suivant ; son père, finalement, fauché l'année dernière par un camion d'huile à chauffage – commotion cérébrale. Les morts se ramassent à la pelle, dans la famille d'Annie.

Seules Annie et sa petite sœur Karyne ont survécu à cette hécatombe – quoique Karyne, après maints voyagements en Amérique latine et en Afrique du Nord, s'est exilée dans le Grand Nord, d'un exil dont elle ne semble déterminée à revenir que sous forme de lettres régulièrement postées à Annie.

M'en veux-tu encore, grande sœur, d'être montée me perdre ici ? Me reproches-tu toujours mes innombrables départs ? Je te revois à mon retour du Maroc, émue comme jamais auparavant, incapable de cesser de sourire de ton si beau, si vaste sourire des jours de fête. Et je me souviendrai toujours de tes bras ouverts, lorsque je suis rentrée de Nouvelle-Écosse sur le pouce, complètement ruinée. Les cuites qu'on s'est prises pour fêter mes retours en terre natale ! Tu aurais aimé que je reste un peu plus longtemps, cette fois-ci, mais je ne pouvais déjà plus supporter mon minuscule bureau sans fenêtre, pris en étau entre les voûtes et la chambre froide du département. Je n'ai pas étudié l'anthropologie pour me claustrer entre quatre murs de l'Université Laval, Sainte-Foy, Québec. Il me fallait partir pour Povungnituk, Annie – sinon j'allais bientôt laisser ma peau entre deux papiers carbone de demande de subvention.

Le Léthé ou la Caniapiscau, quelle différence ? En s'éloignant dans la minéralité du Nunavik, Karyne n'a laissé derrière elle que des souvenirs fossiles, minces et friables. Annie s'est retrouvée seule une fois de plus, envasée dans l'ennui des albums de photos familiaux et des trente-sept gros catalogues de La Baie que son père a obsessivement remplis, sa vie durant, de milliers de feuilles d'arbre séchées. Si seulement un quelconque emploi pouvait l'arracher à sa routine. Elle ferme les yeux longuement, en songeant que ses chèques d'assurance-chômage céderont bientôt la place à ceux du bien-être social. Heureusement qu'entre les enveloppes gouvernementales se faufile ponctuellement le sceau décoloré du comptoir postal de Povungnituk, espoir fragile d'une vie après cette mort.

La pluie claque sur la fenêtre de la cuisine, parsemant de parasites le staccato de Gould que transmet péniblement la radio. Annie verse l'eau bouillante dans la théière, et les feuilles de thé brunâtres tourbillonnent en grésillant. Elle considère d'un œil morne la masse menaçante de vaisselle sale qu'il lui faudrait bien laver. Elle se lève, fait couler l'eau, dépose distraitement une tasse au fond de l'évier. Puis elle regarde un moment les feuilles tournoyer devant la fenêtre.

Pendant que le thé infuse, elle va au placard et en revient avec un album de photos sous le bras droit et un catalogue de La Baie sous le bras gauche. Elle s'assied à table, écarte la théière et la pile de lettres de Karyne, et ouvre d'abord l'album, un vieux cahier de carton brun rempli de clichés des années soixante, en noir et blanc jauni.

Juillet 1961 : sa mère, enceinte des jumeaux, plante le chêne-baobab que l'Hydro-Québec a tronçonné au ras du sol l'été dernier. À côté d'elle, la voisine en tablier à motifs verts se compose une mine complaisante.

Janvier 1963 : son père en Floride, boîtier du kodak au cou, reste béatement planté devant un palmier, fasciné par la persistance de sa verdure.

Février 1963 : son père, de retour à Québec, cloue sur le mur du sous-sol une feuille de palmier. Nathalie et Alex, assis sur le tapis, se disputent un bout de feuille.

Septembre 1966 : la famille se promène au parc des Braves. Annie, engoncée dans les couvertures de laine, a tout au plus six mois. Elle grelotte dans le vent de son premier automne et l'album se termine sur cette photo, prise six ans avant la naissance de Karyne.

Dégagée du pergélisol post-mortem, la famille d'Annie ne lui semble pas moins figée qu'un troupeau de mammouths sibériens. Toujours les mêmes silences, les mêmes vieux soupirs d'ennui – la pauvre éternité du papier photo n'y changent rien. La cause officielle d'un décès, se dit-elle, n'est jamais qu'un prétexte : sa famille a été tout simplement décimée par la grisaille. Cause de la fermeture : mort d'ennui. Raison du départ : neurasthénie galopante. Tout de même, *tout de même,* pense-t-elle en frissonnant, il y a des formes de nomadisme moins radicales que la mort, non ?

L'automne de Québec est-il aussi mortuaire que d'habitude ? Ici, up north, nous n'avons pas eu d'entre-saison : la neige a déjà commencé à tomber et le vent de la baie d'Hudson est si dur, à la pointe Dufrost, que les baraques en tôle ondulée du centre de recherche craquent comme les os d'un cimetière de baleines. Le Nunavik, décidément, n'a jamais su les demi-mesures. La plupart des blancs du village sont maintenant enca-banés pour l'hiver – et mon voisin Irsutualuk, qui tente depuis deux jours de réparer son ski-doo, rigole de voir ces frileux trottiner d'une maison à l'autre en claquant des dents. Quant à moi, moins Qallunat ou dotée d'une peau plus coriace, j'anti-cipe agréablement mon premier hiver au nord du 60ᵉ parallèle.

Annie ferme l'album de photos, se verse une tasse de thé. Puis, elle tire à elle le catalogue de La Baie, l'un des derniers que son père a remplis de feuilles séchées.

Catalogue automne-hiver 1995 de La Baie.

Section manteaux de mi-saison : feuilles chiffonnées de sumac vinaigrier, feuilles de chêne bicolore, fragments poussiéreux de feuilles de peuplier de Lombardie.

Section literie et couettes : feuilles d'érable argenté, d'érable rouge et de peuplier faux-tremble.

Section chandails et tricots : gouttes de résine d'épinette noire, bouquet d'aiguilles de pin blanc.

Section vêtements d'hiver : quelques touffes d'aiguilles d'épinette de Norvège, traces de lédon du Groenland.

Perplexe, Annie contemple l'œuvre de son père : des tonnes de feuilles momifiées, la forêt endormie dans les strates de trente-deux vieux catalogues de La Baie. Reliques. Elle renifle la poussière jaune qui enlumine ses doigts. Le passé tache dès qu'on s'y frotte. Elle se lève et regarde passer, par la fenêtre, les grosses lames de feuilles encollées que pousse le vent. Un chasse-neige de la voirie, l'air d'un vaisseau spatial clignotant, passe péniblement dans la rue. Les feuilles qu'il culbute tant bien que mal sur le trottoir retombent pesamment dans son sillage. Une voix grésillante annonce la mise sur pied imminente d'équipes de secours. Annie ferme la radio, écoute le silence. Elle regarde le tas de vaisselle, songe à faire quelque chose, n'importe quoi, avant de se pétrifier. Elle prend au hasard une lettre de Karyne, caresse du pouce le grain fatigué du papier, remet l'enveloppe sur la pile. À quoi bon relire ces lettres : elle les a apprises par cœur à force de se les réciter, de les relire dans tous les sens, d'en soupeser chaque mot.

Je ne me reconnais plus, Annie ma sœur, depuis que j'ai mis les pieds sur la piste d'atterrissage de Povungnituk. Je n'aurai somme toute traversé le Maghreb et le Goiás qu'en touriste universitaire – mais en arrivant ici, j'ai vite renoué avec de vieux rhizomes amérindiens que des générations de blancs de tous poils – curés, politicailleurs et propriétaires fonciers – ont farouchement déniés. Je me découvre moins blanche que je ne le croyais, Annie, malgré le silence moqueur des Inuit du village face à l'hypothétique nordicité d'une Qallunat. Comment faire admettre notre métissage à qui que ce soit, coincés que nous sommes au confluent des Latins, des Anglo-Saxons et des Amérindiens ? Les uns nous le refusent comme une honte, et les autres tel un titre dont nous ne serions pas dignes, et de tout cela ne demeure que notre silence d'inclassables bâtards à peau blanche. Je tente bien entendu de n'écouter personne, de ne croire que moi – et je doute, je doute en relisant inlassablement mon vieil exemplaire de Volkswagen Blues.

P.-S. – T'es-tu finalement décidée à bouter aux vidanges les vieux catalogues de papa ?

Combien de centaines de milliers de douzaines de feuilles son père a-t-il amassées, au gré des catalogues ? Pourquoi pas les timbres, les paquets d'allumettes ou les étiquettes de fromage ? Absurdement, Annie pense à ces paysans égyptiens qui faisaient sécher au soleil des briques de limon et de paille. Son père, Égyptien né au Québec par erreur, voulait peut-être ériger une pyramide en catalogues de La Baie, cherchait peut-être à recréer le soleil du Sud dans la lumière jaune des feuilles mortes. Elle le revoit, son père, brûlant une fortune en huile à chauffage afin de pouvoir traverser l'hiver en bermudas ; son père, alchimiste de banlieue tentant l'impossible transmutation des feuilles mortes en or ; son père, polythéiste s'ignorant, accueillant le grand Rê sur la montée d'Héliopolis avec des brassées de palmes à jeter sous le pas de son âne. Triste Égypte de fond de placard, baignée d'un soleil à 60 watts.

Le nez collé à la vitre, Annie rêve du Nord.

Souvenirs. Septembre 1979. Ils se promènent dans les feuilles mortes du parc des Braves. Son père lui a confié le vieux kodak familial, qu'elle porte en bombant fièrement le torse. Pendant qu'elle improvise un safari-photo aux trousses des écureuils, il sort un catalogue de La Baie de son manteau et entreprend de sauver de la pourriture les feuilles mortes les plus intéressantes. Annie croque la scène en fronçant les sourcils – mais le vieux kodak ne parle que noir et blanc, et la scène reste gravée dans sa mémoire comme un extrait de film muet burlesque : son père se penchant délicatement sur une feuille de chêne tandis que le catalogue s'ouvre à tous les vents, renvoyant au compost les feuilles précieuses. Sur la couverture du catalogue, Annie peut distinctement lire le nom complet de la compagnie, aujourd'hui passé au sécateur sous prétexte de concision publicitaire : *La Compagnie de La Baie d'Hudson.*

Que fais-tu encore à traîner down south, Annie ? Un poste s'est ouvert à l'école du village : ils cherchent quelqu'un d'assez fou pour enseigner le créole. Pourquoi ne te présentes-tu pas ? Avec tes diplômes, tu serais sûrement engagée – et tu n'aurais qu'à apprendre le créole dans l'avion ! Viens me rejoindre au nœud du froid, loin de la pluie et des feuilles mortes en purée. Le vent a déjà commencé de me cuire la peau et tu auras sans doute l'air un peu javel – mais ça ne fait rien, je te prépare une place au chaud. Viens, viens au plus vite – et glisse dans tes valises quelques bouteilles de Carib !

Annie allume de nouveau la radio, retourne à la table. Un concerto pour piano grésille méchamment, le thé est froid. Elle empoigne le catalogue et le scrute attentivement. Tout lui semble devenu absurde : elle rêve de la Hudsonie, du pays minimaliste de pierre et de lichen où sa sœur est allée se perdre – et elle voudrait tenir en ses mains une immense carte topographique du Nunavik, où les coordonnées s'étaleraient, claires et précises.

Dans la rue, un contingent de pompiers organise l'évacuation du quartier. Les familles grimpent dans un autobus scolaire en se plaignant, tenant à bout de bras valises et boîtes de carton. Annie sort sur la galerie. La pluie coule dans son cou. De toutes ses forces, elle projette le catalogue de La Baie qui décrit une longue courbe en froufroutant, éparpillant dans toutes les directions un nuage de feuilles séchées avant de disparaître dans le désordre de la rue.

III

Reconquista

La clé des vents

Dérapage tectonique, n. m. (vers 1960 ; o. i. ; proviendrait peut-être de l'Université du Sahara Central). Phénomène rarissime se produisant lorsqu'un désert chasse sur son ancre et migre vers d'autres cieux. Si un désert en dérapage téléscope une ville importante, on parle de collision géoculturelle. D'éminents désertologues, dont T. E. Loirance, ont avancé que tout désert effectuerait des dérapages circulaires qui le feraient périodiquement repasser aux mêmes endroits. « *Les chiens aboient, le désert passe* » (D. Amilah). « *Un désert, ça va, ça vient* » (Manu Al Derf). Voir **Vaisseau du désert** et **Khamsin circulaire**. (*Encyclopédie du petit cercle,* tome I, p. 860.)

Monsieur Gotop n'a pas l'air dans son assiette, cet après-midi, et pour cause : nous sommes jeudi, jour de Jupiter, planète d'ouragans et de tempêtes, et veille de la fin de la semaine. L'atmosphère est explosive. Monsieur Gotop entre dans la classe, la peau plus crevassée que de coutume, l'œil plus sec, et il referme la porte derrière lui. La cloche sonne. Il dépose un sac rebondi sur le bureau et, sans dire un mot, en extirpe quelques bouquins poussiéreux, une lampe de mineur et un sextant.

– Aujourd'hui, cours de mythologie appliquée.

Moment de silence. Il arpente la classe d'un pas lent, une main dans le dos, l'autre caressant son antédiluvienne barbe blanche. Il semble perdu dans ses pensées, et quelques cancres en profitent pour lui expédier des bouts de gomme à effacer.

– Messieurs, un peu de sérieux. *(Profonde respiration.)* Débutons : qu'est-ce que la mythologie ? Quelqu'un d'entre vous croit-il avoir des éléments de réponse ? Vous, par exemple, mademoiselle Stern ?

En disant cela il me pointe du doigt, impitoyable. Pourquoi moi ? Pas de panique. Prudemment, je suggère :

– L'étude des mites ?

Il lève un sourcil étonné : aurais-je donné une bonne réponse ? Je peux déjà sentir sur ma nuque le pincement des bouts de gomme à effacer réservés aux premiers de classe. Je ne suis pas une première de classe, mais tous les prétextes sont bons pour mitrailler.

– Vous me surprenez, mademoiselle Stern. En dépit de votre fatuité coutumière *(et disant cela il jette un regard circulaire sur la classe, de telle sorte que je ne sais trop s'il parle de moi ou de tout le groupe)* vous semblez avoir quelques notions *(il pouffe)* de mythologie.

Monsieur Gotop recommence à arpenter la classe sous une nouvelle salve de gommes à effacer dont quelques-unes me sont destinées. La journée commence mal. Au moins, nous allons avoir un cours sur les papillons – maigre consolation.

– Suffit, messieurs ! *(Bref silence.)* La mythologie, ainsi que mademoiselle Stern l'a minimalement exprimé, désigne le système des mythes. Et qu'est-ce qu'un mythe ? *(Condescendant.)* Rassurez-vous, mademoiselle Stern, je devine l'étroite étendue de votre sapience, et je ne vous importunerai pas avec une question à laquelle vous ne sauriez répondre correctement. Notez donc : un mythe *(emphatique)* est un récit, ou une image, dont la fonction est d'expliquer la nature de l'humain et (ou) de l'humanité, ou la place de l'humain dans l'humanité, ou la place de l'humain et (ou) de l'humanité dans la nature, ou la relation entre l'humain et l'humanité au sein de la nature, ou la relation entre l'humain et la nature au travers de l'humanité, ou encore...

Les papillons sont rendus dans mon estomac, et je sens que le cours va être interminable. En fait, nous le sentons tous, ce qui provoque une intense pluie de gomme à effacer, agrémentée de quelques avions en papier et de projectiles divers.

– Allons, allons ! Un peu de calme ! Quelqu'un peut-il me donner un exemple de mythe ?

Vaste silence. Dans une des fenêtres, un gros papillon blanc cherche la sortie en se cognant aux carreaux. À moitié assommé, il vole en cercles aveugles, tandis que la moitié de la classe suit son trajet des yeux, sinon en esprit. Quelqu'un va-t-il se décider à faire quelque chose, l'écraser ou lui ouvrir la fenêtre ? Monsieur Gotop s'impatiente. Xavier Froute, élève méritant, brave la mitraille et lève un doigt.

– Monsieur Froute, à la bonne heure ! Nous vous écoutons.

– La tour de Babel, monsieur Gotop ? *(Pluie de boulettes de papier mâché.)*

– Réponse peu orthodoxe qui pourrait nous obliger à aborder la notion de récit étiologique, mais vous avez saisi le principe général. *(Nous toisant tous, sauf Froute.)* Cela dit, peut-être devrions-nous entamer cet exposé par quelque aspect plus pragmatique de la mythologie.

Empoignant le globe terrestre, il le place sur le bureau de Xavier Froute. Puis, il imprime une poussée au globe qui se met à tourner à une vitesse folle. Les continents s'emmêlent, les méridiens s'enchevêtrent, l'horizon tangue. Prise de vertige, je m'agrippe fermement à mon pupitre. D'un doigt autoritaire, Monsieur Gotop fait s'arrêter net le globe.

– La mythologie est née ici, messieurs. Quelqu'un peut-il me nommer cette partie du monde ?

Interpellé, le chœur des cancres s'élève avec enthousiasme :

– La Chine, m'sieur ! La Chine !

– Le Balouchistan !

– L'Éthiologie ! Le Congo russe !

– Le Panamadagascar !

– Les îles Canard !

– Messieurs ! Suffit ! Cessez ces enfantillages ! *(Mielleux.)* Oui, monsieur Froute ?

– Le Proche-Orient, monsieur Gotop ? *(Averse de boulettes de mouchoirs imbibées de liquide correcteur.)*

– Je vois qu'aucun aspect de la question ne vous est totalement étranger, monsieur Froute. En effet, la mythologie n'est pas née, comme d'aucuns le prétendent, dans un vulgaire bidonville de Macédoine. Non, messieurs, la mythologie a jailli du désert. L'histoire de l'humanité vient du vaste silence proche-oriental – et c'est d'ailleurs ce silence qui a provoqué l'éruption de la parole.

S'avançant au travers des rangs, il empoigne fermement l'oreille d'un élève à côté de moi, et levant l'élève par ce seul point d'attache, il le brandit vigoureusement au-dessus de nos têtes.

– Un cancre tel celui-ci, messieurs, tel que vous l'êtes pratiquement tous, est un être qui se cherche...

Il laisse retomber le cancre sur sa chaise.

– ... comme se cherchait l'humanité dans le désert, il y a plusieurs millénaires. Tandis que les prototypes de nos cancres modernes s'engraissaient de limon dans les Babels et les Alexandries, d'austères intellectuels confinés au désert couvraient des peaux de chèvres avec l'histoire de l'humanité – une histoire dont vous ne saisiriez ni l'aleph, ni le zut, bande de petits Babyloniens !

La tête ailleurs, je m'amuse à imaginer des troupeaux de chèvres galopant dans les bibliothèques d'Alexandrie avec l'histoire de l'humanité imprimée sur le dos, et je ne peux réprimer un sourire sans doute un peu narquois – que monsieur Gotop, bien entendu, ne manque pas d'intercepter. À croire qu'il attendait ma réaction. Il pointe vers moi un index tremblant d'indignation.

– La mythologie existe précisément pour racheter l'existence de petites cyniques en votre genre, mademoiselle Stern...

Il se met à marcher d'un pas excité. Un tic nerveux fait tressaillir sa lèvre supérieure comme un métronome. Il faudra que j'apprenne à ne pas sourire.

– ...des êtres sans envergure qui ignorent les principes les plus élémentaires de la Mythologie ! Savez-vous (vous doutez-vous seulement ?) que l'humanité n'a pas commencé à votre naissance et qu'elle ne s'achèvera pas sur votre lit de mort ? Que l'Histoire circule par très vastes bonds, revenant sans cesse sur ses traces, répétant ses pas d'une époque à l'autre ?

J'enfonce la tête dans les épaules – un simple coup de tabac, il suffit d'attendre, ça va passer. Mais monsieur Gotop ne semble pas disposé à se calmer. Empoignant une pile de livres, il en bombarde la classe.

– Ignorez-vous, petits béotiens, que la tour de Babel sera encore érigée ? !

Se saisissant du bocal à poissons rouge, il le catapulte au-dessus de nos têtes. S'étant vidé de son eau et de ses passagers en quelques rotations, le bocal va se ficher sur la tête de Thomas, comme un casque sur la tête d'un scaphandrier.

– Ne savez-vous pas que le déluge déferlera de nouveau ?! *(Se tournant vers moi.)* L'humanité carbure aux Cycles, mademoiselle Stern ! Mais dans de petites têtes comme les vôtres *(il englobe toute la classe d'un large geste)* ces grandes migrations deviennent des petits cercles...

– Vicieux ? risque un kamikaze.

La tension vient de grimper d'un cran. Personne n'ose en rajouter, et toutes les têtes se tournent pour localiser l'origine de l'attentat. Je sens mon cœur battre à une allure folle : je pressens qu'il va bientôt falloir sauver sa peau, chacun pour soi et tant pis pour les flâneurs. Monsieur Gotop, blanc de rage, s'approche du globe terrestre sans quitter des yeux l'endroit d'où a jailli le trait. Il s'effondre presque, s'appuie sur le globe, semble un instant vouloir se ressaisir. Il avale sa salive, et articule difficilement :

– Monsieur...

Mais la colère prend le dessus, et empoignant le globe, il le lance de toutes ses forces au-dessus de la classe. Les têtes se baissent, mais Pierre intercepte le bolide à la volée, d'un magistral coup de boule. Sous le choc, le globe se libère de son support et rebondit comme un ballon. Autour de Pierre, ils sont une douzaine à s'être levés comme des ressorts, et c'est Jacques qui récupère le globe d'un coup de genou. Il s'avance en dribblant, fait une passe audacieuse à Georges qui déjoue Luc et passe à Pierre au-dessus du pupitre de Louise. Thomas bloque le ballon avec une tête spectaculaire ; le bocal à poissons, dont il était encore affublé, vole en un nuage d'éclats irisés.

Autour de la classe, les élèves se sont juchés sur les pupitres et sur les appuis de fenêtres, et ils encouragent les footballeurs avec des cris sauvages. Monsieur Gotop trépigne, voudrait reprendre la situation en main, mais n'ose fendre la mêlée pour récupérer le globe qui saute d'une allée à l'autre.

– Messieurs, messieurs, je vous en prie !

D'un vigoureux coup de pied dans le Nouveau-Mexique, Thomas passe à Georges, mais Luc s'empare du globe et tente une échappée vers monsieur Gotop. Autour de la classe, les cris se transforment en hurlements. Luc raccourcit sa foulée, prend son élan et, avec un coup de pied impressionnant, shoote vers monsieur Gotop qui s'écarte comme le mauvais gardien de but qu'il est. Le globe passe en vrombissant et va s'écraser en plein milieu du tableau. Il retombe au sol et zigzague un peu avant de s'arrêter : le fer-blanc est défoncé en plein milieu du Sahara, et le sable s'en écoule généreusement.

Monsieur Gotop a profité de ce bref laps de temps pour s'armer d'un mètre, et il fauche l'air autour de lui pour endiguer le coup d'État. Je baisse la tête juste à temps pour ne pas être décapitée, mais d'autres n'ont pas cette chance. Planquée sous mon bureau, je remarque qu'à l'avant de la classe, le globe laisse toujours échapper du sable : il y en a déjà toute une dune, bien davantage que ne pouvait contenir le globe lui-même. Tout ça augure mal.

– Bande de petits analphabètes ! hurle monsieur Gotop en jouant du mètre, vous méritez d'être rectifiés ! Dénigrer de la sorte les fondements de la civilisation ! Fouler au pied les racines fondamentales de l'exégèse straussienne !

D'un coup d'œil expert, j'évalue la situation : chacun surveille monsieur Gotop, cherchant à s'en tirer vivant, et personne ne semble remarquer que le sable gagne les premiers rangs en ondoyant comme un serpent. La température a monté et je sens la sueur perler sur mes tempes. Aux quatre coins de la classe les élèves détalent comme des lièvres, trop paniqués pour répliquer à l'assaut de monsieur Gotop. Quant à moi, il est hors de question de rester ici à attendre ma ration de centimètres. Je commence à ramper vers la sortie, tandis qu'un vent chaud se lève, faisant bruire les feuilles sur les pupitres. Poussés par le vent, des grains de sable glissent sur le plancher. Indifférent aux phénomènes climatiques, monsieur Gotop s'affaire à modifier la forme du crâne de Pierre à grands coups de mètre.

Le vent s'est tout à fait levé, maintenant : un simoun brûlant et sec qui fait danser le sable en tourbillons aveuglants. Je perds déjà de vue les murs de la classe. Plus de temps à perdre, je relève le col de ma chemise sur mon visage, je plisse les yeux et je pique un sprint en me cognant contre les pupitres. Derrière moi, j'entrevois l'ombre de monsieur Gotop, le bras toujours dressé, qui se perd dans la tempête. Le vent m'apporte des bribes de hurlements :

– ...spèce de... ales... oua... egs... vous en ferai... oir du sable...

Je bute sur quelque chose, ou plutôt quelqu'un : Xavier Froute, en voie de se transformer en statue de sel. La bouche pleine de sable, il balbutie et cherche à s'accrocher à ma chemise, mais je file trop vite pour lui et il reste en arrière, avec un lambeau de tissu entre les doigts.

Après quelques pas, le simoun rugit pour de bon et je me retrouve enspiralée dans le sable – l'impression d'être prisonnière d'un nuage de guêpes. Le vent me lance au visage un escadron d'objets invraisemblables : stylos, cahiers d'exercices, rapporteurs d'angle. Un objet massif me défonce presque le crâne : le sextant de monsieur Gotop. Je baisse la tête et je continue de marcher. La poussière s'infiltre dans mon cou, dans mes oreilles, dans mes yeux. Je suffoque, vacille. Je n'ai plus aucune de chance de m'en sortir – mais au moment où je vais me laisser choir au sol, je donne de toutes mes forces dans un mur.

À moitié assommée, il me faut une seconde pour comprendre. Puis, ma main tâtonne, fouille, trouve la poignée. Je tire à deux mains, de tout mon poids, et la porte finit par s'entrebâiller suffisamment pour que je puisse m'y glisser, écrasée contre le chambranle. Au moment de passer, je trébuche et la porte happe ma cheville. Le vent s'engouffre en hurlant dans l'entrebâillement, faisant voler des bourrasques de sable et de papier dans le corridor. À force de peiner, je dégage mon pied de la porte, qui se referme en claquant violemment.

Le claquement se répercute contre les murs silencieux du corridor. Je tousse et je crache, mais je respire enfin, tandis que la tempête continue à rugir derrière la porte. Autour de moi, le sable et les feuilles de papier retombent mollement sur le sol.

Sans grande surprise, je constate que le papillon blanc s'en est tiré lui aussi. Couchée sur le dos, la tête vide, je le regarde voler en cercles au plafond.

Reconquista

Cancer du Tropique, n. m. (1919 ; tiré du traité *Homo homini cancer* de Kidd Karaboudjan). Prolifération symbolique qui amène la victime à interpréter le monde ambiant comme un atlas. Les principaux symptômes sont une tendance à renier les souvenirs, les référents géographiques et les lois de la physique élémentaire. La forme chronique, appelée cancer topique, provoque une interprétation davantage encyclopédique, plus difficile à diagnostiquer. Ces affections incurables sont rarement mortelles, mais souvent pénibles. On désigne les deux variétés sous le vocable générique de *crabification. Elle se crabifie. Elle a le crabe.* Voir **Cancer topique.** (*Encyclopédie du petit cercle,* tome I, p. 398.)

Assise dans le chambranle de la fenêtre, je regarde le soleil se coucher sur Madagascar. Une bouffée d'air froid monte de la basse-ville, emportant avec elle une chauve-souris mal réveillée. Je n'ai pas le vertige. Pas trop.

Comme à chaque soir, je serre dans mes bras le vieil atlas vert et je peste contre l'engeance des cartographes qui s'entêtent à me signifier, en invoquant quelques poignées de tristes chiffres, que Madagascar ma Belle est une tout autre île. Quel genre d'image cette bande d'empêcheurs de rêver en rond prétendent-ils donner de la planète ? Projection conique, projection de Mercator, projection stéréographique méridienne : les cartographes ne cessent de projeter le monde à gauche et à droite comme s'ils en étaient abstraits. J'y suis, moi, dans le monde, et n'en veux surtout pas sortir. Chaque soir, je rends mon culte à Madagascar, cartes en main, et lorsqu'il n'y a plus suffisamment de lumière pour déchiffrer les petits caractères de Tananarive, Tampoketsa et Fort-Dauphin, je me glisse dans mon lit en rêvant d'arbres à pain et de pluies tropicales.

À huit heures sept minutes précises, comme à son habitude, Louise passe me prendre pour aller à l'école. Comme à mon habitude, je ne suis pas prête, et elle s'impatiente dans le cadre de porte de la cuisine en déplorant, en chorus avec ma mère, l'indécrassable sens de la désorganisation que, paraît-il, je tiens de mon père. J'engouffre la dernière bouchée de ma toast au miel en me brossant les cheveux et me retrouve dans la rue, deux minutes plus tard, les doigts collants, le sac d'école bâillant au ciel et ma mère aux trousses qui essaie désespérément d'ajuster ma jupe, moi qui tente de lui échapper.

Tout en montant vers notre école, plantée au sommet de la ville, Lou me submerge de sa voix, bavarde en apnée à propos de mille riens pendant que moi, en approuvant distraitement de la tête, j'écoute les premiers merles chanter. Nous n'avons pas mis un pied dans la cour d'école que la cloche sonne un coup de semonce, et il faut courir se joindre aux rangs. Heureusement un morceau de l'océan Indien demeure visible entre les toits, et je continue d'acquiescer au monologue de Lou tout en jetant des coups d'œil par-dessus mon épaule.

Elle finit par s'apercevoir de ma distraction au moment où notre file s'ébranle vers la porte. Intriguée, elle se retourne et interroge le paysage. Comprenant alors que je scrutais Madagascar, elle me tourne subitement le dos, offusquée et jalouse.

Je soupire.

Louise me refusera-t-elle toujours le droit d'espérer Mada-gascar ? Elle n'a pas pris conscience de l'héritage géographique de notre génération : le monde lui semble encore immense et, chaque fois que je propose de sauter sur nos vélos pour aller rôder au Mozambique après l'école, elle me traite de niaiseuse et fait la gueule. Elle est ma plus grande amie, pour ainsi dire la seule, mais ça ne l'empêche pas d'être parfois invivable. En tout temps il faut éviter de la bousculer, ne jamais la contra-rier, toujours être là, sans cesse disponible, invariablement d'accord, partante pour tout ; et je suis la seule qui parvient à ne pas s'épuiser de ça, la seule qui sait parler à Lou – sainte Françoise d'Assise à Gubbio. En clair, Lou n'a que moi et sa très exclusive amitié ne sait admettre que dans ma vie puisse se trouver une quelconque Madagascar.

Lou marche s'asseoir à sa place, au premier rang, en me tournant ostensiblement le dos : un avant-midi de bouderie en perspective. La cloche sonne derechef. Madame Trouche, notre maîtresse, expédie la prière (notre-père-qui-ainsi-de-suite) et entame la journée par une leçon d'histoire naturelle sur les chauve-souris et les oiseaux. Chouette : si elle pouvait parler de Nils Holgersson !

Madame Trouche épingle au tableau un grand dessin qui représente, à vue de nez, un lambeau de parapluie noir et poilu. En apprenant qu'il s'agit d'une aile de chauve-souris, quelques filles poussent des cris de dégoût. Madame Trouche rabroue ces petites natures et reprend la leçon en nous présentant la pipistrelle et la murine, la noctule d'Asie et la roussette sud-américaine. La leçon s'annonce intéressante mais malheureuse-ment, comme à son habitude, madame Trouche commence très vite à délirer sur l'écholocation, la spécificité des mem-branes alaires et le calcul de la portance.

Je soupire.

Lou ne répond pas à mes billets et la verve de la maîtresse augure une interminable leçon. Ennui. Je suis tentée d'ouvrir l'atlas sur mes genoux et de me carapater pour Madagascar toutes cartes dehors, mais je n'ai pas le goût, à la réflexion, d'aboutir (une fois de plus) dans le bureau du directeur. Je tente donc de me convaincre que l'aérodynamique des ailes de chauve-souris pourra m'être utile, un jour ou l'autre.

Si seulement Lou pouvait ne pas faire semblant d'être si captivée et répondre à mes messages.

C'est en allant dîner, réconciliées et rigolardes, que nous trouvons devant la maison de mes voisins cet immense camion de déménagement au fond duquel s'entassent des piles de boîtes, une tondeuse à gazon électrique, des divans à fleurs, une lampe torchère – tout le bric-à-brac du nomadisme à grands frais. Les Ouellet, un vieux couple sans progéniture, ou dont la progéniture a déserté la région depuis des lustres, retournent s'enterrer dans leur patelin natal, Saint-Jean-de-la-Lande, quelque part près des lignes américaines. Je m'arrête devant la pancarte *À vendre,* plantée dans le gazon comme un gros point d'interrogation.

Lou, avec inquiétude, m'observe observer la pancarte. Elle craint sans doute le débarquement d'une nouvelle voisine qui, elle, accepterait de m'accompagner jusqu'à Madagascar l'improbable, déclassant du coup la vieille copine de toujours, la copine de la nuit des temps, d'avant la maternelle, d'avant toute mémoire. L'éventualité me fait frémir d'excitation et de peur. Je nous rassure :

– *(Faussement blasée.)* Je te parie un sac de jujubes surets que ça va encore être deux petits vieux qui élèvent des douzaines de minous angoras, enfermés dans leur salon.

– Qui ça, enfermés : les minous ou les petits vieux ?
– Les deux !
Rigolade.

Trois semaines plus tard, alors que j'esquisse une superbe fresque à la craie sur l'asphalte de la rue (une forêt où s'hybrident anarchiquement minarets et baobabs), un second camion stationne devant l'ex-maison des Ouellet. Les camions de déménagement se ressemblent tous et, du coin de l'œil, j'appréhende que n'en ressortent les mêmes meubles à fleurs, la même tondeuse à gazon électrique – et les Ouellet eux-mêmes, embaumés, revenant définitivement habiter leur maison après le dernier Grand Déménagement. L'idée de voisiner des momies ne m'enchante guère : je les imagine qui se bercent sur la galerie, dans la brise du soir, avec leurs bandelettes qui flottent et s'enroulent aux barreaux de chaises, qui rampent sur notre terrain et s'envolent dans la rue. Inquiète pour de bon, je lève la tête et avise le contenu du camion, que les déménageurs transbordent mollement dans la maison : quelques meubles, des caisses, des caisses, encore quelques meubles, d'autres caisses... Aucun sarcophage à l'horizon.

Mais soudain, dans tout ce fatras de caisses, éclate l'épiphanie : un énorme déménageur, casquette graisseuse calée sur la tête, sort du camion en brandissant de ses grosses mains la fine silhouette d'un superbe vélo rouge à ma taille, signe indéniable de l'arrivée imminente d'une voisine de mon âge ! Je pense à Lou – pari perdu ! Mais hors de question de lui payer son sac de jujubes surets : le plus tard elle apprendra l'existence de cette rivale potentielle, le plus tard elle commencera à me faire la gueule.

Obstinément, le pollen des points d'interrogation flotte autour de la pancarte *À vendre*.

Un mois s'écoule et il apparaît que la voisine anticipée n'arrivera pas avant la fin de l'année scolaire. Seul son père habite la maison, pour l'instant, quoiqu'il semble passer le plus clair de ses jours et de ses nuits à la bibliothèque municipale dont il organiserait (dit-on) le déménagement vers des bâtiments plus vastes. Chaque fin de semaine, il part (sans doute) retrouver sa famille, qui est (probablement) restée à Québec ou à Montréal. Impossible d'en parler autrement que par hypothèses : on ne l'aperçoit jamais qu'à la sauvette, entre chien et loup. Le gazon se junglifie lentement devant la maison, au même rythme que les commérages des voisins. Le mystère plane sur la rue, rasant les toits au guidon d'un vélo rouge. J'aime.

On ne mesure vraiment bien l'ampleur des vacances qu'à la sortie de la messe de cinq heures, le premier dimanche d'été, lorsque l'on se rappelle qu'il n'y aura pas d'école le lendemain matin. Lou danse sur le parvis de l'église, en proie à une inhabituelle exubérance, et me demande *viendras-tu, dis, viendras-tu jouer à la cachette avec moi ce soir ? Viendras-tu coucher chez moi, viendras-tu ? Pas d'école demain, ni après-demain, ni plus jamais – on va veiller jusqu'à minuit !*

Je la regarde danser avec un sourire distrait, la tête ailleurs. Le début des vacances est toujours un moment solennel, et je tente de prendre conscience de cette soudaine disponibilité des jours, de cette étourdissante liberté de deux mois devant laquelle je m'épuise d'avance – mais il s'agit de quelque chose d'inimaginable, qui refuse de m'entrer dans la tête. La Très Sainte Institution de l'École ne vaut que pour ces premiers jours de vacances, dans la lumière crue du mois de juin, ce moment aigre-doux où l'on sent que l'univers, d'une journée à l'autre, peut basculer d'un bloc vers on ne sait quoi. Tout peut arriver, durant les vacances : la fin du monde, le début d'un autre – et

Lou valse toujours autour de moi, exaltée, insensible à la gravité du moment.

– Allez, Karyne, dis oui, dis donc oui !

– Je sais pas, Lou, peut-être. Je vais y penser.

Elle coupe par la rue Saint-Elzéar, dansant toujours malgré ma tiédeur, et je descends seule jusque chez moi. En tournant le coin de la rue, je découvre avec surprise, stationnée dans la cour du voisin, une voiture inhabituelle – une vieille Saab vert bouteille. Je cesse de respirer. Le mystère vole en rase-mottes, escamotant Lou au passage : ce soir, tant pis pour son minuit, je resterai embusquée à la fenêtre de ma chambre, l'œil rivé au jardin du voisin.

(Mais personne ne s'y montrera, bien sûr, hormis les chauve-souris, et je m'endormirai dans la fenêtre, Madagascar plein la tête.)

Le lendemain j'entreprends, assise sur l'asphalte brûlant, de redessiner ma forêt de minarets que la pluie a presque totalement lavée. En quelques coups de craie, j'esquisse un sentier au détour duquel apparaît le petit chaperon rouge. Elle a ouvert le pot de miel destiné à sa mère-grand et s'en met plein la fraise. Tout en jouant de la craie, je garde discrètement un œil sur les parages. Le petit chaperon rouge se lèche les doigts jusqu'aux coudes. Aucun mouvement chez le voisin, mais je redoute tout de même l'arrivée inopinée de Lou. Interminable suspense sous le soleil.

Après un long moment, un pas feutré froisse le gazon dans mon dos et *elle* s'assoit à côté de moi, comme si de rien n'était, observant ma fresque sans dire un mot. Le petit chaperon rouge lèche le fond du pot de miel, aucun loup à l'horizon. Je fais mine, la tête baissée, d'être follement préoccupée par une petite volute de feuillage : je ne veux pas découvrir tout de suite qui

se cache derrière le mystère du vélo rouge. Je suis trop timide
– ou j'aime trop le goût de l'espoir fou. Je persisterais pour
l'éternité à ne voir d'elle que son pied, un pied superbe aux
fins orteils cuivrés, pris dans une sandale de cuir noir – mais
au bout de vingt secondes, je craque et lève le nez vers elle
avec un sourire large comme la rue. Elle me rend un sourire au
moins aussi large.

– Charles Perrault, je présume ? qu'elle me lance.

Elle a un drôle d'accent, Aïcha, un registre à la fois tunisien,
parisien et montréalais qui casse légèrement le chant de sa voix
– je n'apprendrai les subtilités de son ascendance que plus tard,
bien sûr, on ne déballe pas sa famille comme ça, dans la rue,
dès la première rencontre. Pour l'heure, il ne fait aucun doute
qu'elle est une ange fraîchement débarquée de Madagascar, et
je lui parle donc comme à une ange, soucieuse d'être compréhensible malgré mon accent du bas du fleuve.

– Schéhérazade, je suppose ? que je lui réponds.

Rigolade entre perspicaces. Je lui confie la craie safran et
la tâche délicate de compléter les coupoles de minarets. Ce n'est
plus une forêt, à la fin de l'avant-midi, mais le bassin de l'Ama-
zone. Nous nous congratulons, Aïcha et moi, comme les deux
vieilles copines que nous sommes devenues. Je ramasse les
craies et nous allons chez elle, où j'insiste pour l'aider à préparer
le dîner.

La plupart des caisses que j'ai entrevues lors du déménagement n'ont pas encore été ouvertes : elles occupent le coin
du salon, le fond des placards, le haut des armoires. Quelques-
unes, sommairement éventrées, laissent voir des centaines de
livres. Aïcha me révèle qu'il s'agit de la bibliothèque familiale,
dont son père ne parvient pas à se départir et qu'il traîne, de
déménagement en déménagement, depuis des années. Il avait
originalement chargé Aïcha de sortir les livres des boîtes et de

les installer sur les rayons – mais à quoi bon, puisqu'ils ne sont même pas certains de rester ici cet automne.

– Mon père croyait que son contrat serait prolongé après octobre, mais c'est loin d'être assuré. Alors on a juste loué la maison, finalement, et on va peut-être retourner avec ma mère, à Montréal.

Elle évoque ce retour sans grand émoi, en tranchant tranquillement des fraises pour l'omelette du midi. Mon couteau reste suspendu en l'air un instant, puis je continue à couper mes zuchinis en faisant mine de rien. La porte d'entrée claque et son père, un grand brun qui a l'air de tout sauf d'un rat de bibliothèque, arrive quasi en courant dans la cuisine. Il s'empare d'Aïcha et esquisse un pas de danse avec elle.

– Sabah alkhir ya chems al'ar'ar ! Je vois que tu t'es déjà fait une copine !

Il se tourne vers moi :

– Ma petite sauvageonne de fille n'a pas daigné nous présenter... Madame ?

– Madame Karyne.

– Enchanté, madame Karyne. Je m'appelle Hamzah.

Et il me tend la main d'un air faussement révérencieux en donnant à mon prénom des allures de ville maghrébine, avec un drôle de R on ne peut moins roumi. Il parle drôlement le français, mieux que ma mère mais avec un accent venant de Dieu sait où. Aïcha a de qui tenir.

– Tu restes à dîner, j'espère ?

Je ne sais plus de qui vient la question, mais au même moment j'entends ma mère m'appeler du jardin. Évidemment, j'ai négligé de la prévenir... Il me faut expliquer, m'excuser, m'esbigner en direction de la maison.

– Louise t'a appelée trois fois. Elle est même passée te voir, il y a une demi-heure. Je lui ai dit que tu étais chez le voisin

– elle n'est pas allée vous rejoindre ? Et comment elle s'appelle, ta nouvelle amie ? Et son père, il est comment ? Et sa mère ? Et ils viennent d'où ?

Tout en subissant distraitement la période des questions, je songe à Lou. Je l'imagine, qui considère longuement la maison d'Aïcha en me reprochant muettement d'avoir osé y pénétrer. Je les connais, les mille et une nuits, mille et une questions de Lou, incapable de comprendre mes absences, qui redoute maintenant une voisine sous roche, une Madagascar en puissance. Où suis-je, moi qui n'ai jamais été ailleurs, moi la vieille copine de toujours, la copine de la nuit des temps, d'avant la maternelle, d'avant toute mémoire ?

Une fois mon dîner expédié, je file rejoindre Aïcha et j'arrive à temps pour la vaisselle. Hamzah, qui est reparti travailler, nous invite à le rejoindre dans l'après-midi. Nous aurons accès à la bibliothèque, malgré le déménagement, aussi souvent que nous le voudrons – à l'unique condition de ne pas déranger les employés. Aïcha, apparemment grande lectrice, semble déterminée à profiter de ce droit de passage, ce qui n'est pas pour me déplaire. Le temps d'enfourcher nos vélos, je m'improvise navigatrice.

Vertu ou ivresse de ma soudaine vocation d'Ariane, il me semble découvrir, sur le chemin de la bibliothèque, une ville aussi étrange qu'étrangère. En débouchant sur le carré Dubé, nous butons contre une longue procession de ces Chinois qui travaillent sur la ligne de chemin de fer du Grand Tronc. Aïcha les observe, impressionnée mais manifestement inconsciente de l'anachronisme. L'un d'entre eux pointe mon vélo et articule quelque chose en chinglish. Je me demande s'il reste, des Chinois et de leur misère, un autre témoignage que le douteux pâté chinois ; mais madame Trouche ne nous enseigne pas l'Histoire avec des livres de recette, et la procession disparaît au coin de la rue Amyot, épuisée et silencieuse.

Jugeant sans doute mon dépaysement insuffisant, la rue Lafontaine décide entre-temps de se transformer en forêt équatoriale. Aïcha contemple le feuillage qui tombe de nulle part et semble trouver ma ville fabuleuse. Comment avouer, comble de la honte pour une prétendue Ariane, que je suis empêtrée dans l'inconnu, que je ne reconnais pas ces foisonnements de brique et de fer forgé, ces enchevêtrement de rhizomes qui jaillissent des égouts, ces baobabs en pierre de taille et ces palétuviers de gouttières ? Nous roulons au hasard dans la pénombre du sous-bois, devinant dans les ruelles le frémissement d'une faune indiscernable. Le soleil perce faiblement la canopée et Aïcha me montre du doigt une roussette agrippée à un manguier, le museau ruisselant de jus. Un maki trottine le long d'un fil électrique, dérangeant au passage un toucan rayé qui s'envole en criant.

Aïcha éclate de rire et moi, je ne suis plus du tout sûre du sentier à suivre. Il ne manquerait plus que l'apparition de Lou l'ombrageuse : je n'ose pas imaginer la crise que j'essuierais si elle me surprenait à enforester la ville en compagnie d'Aïcha – à cause d'Aïcha. Il me semble la voir partout, cachée derrière le moindre arbrisseau, sous la plus banale boîte à lettres, perchée dans les lianes électriques. Le paludisme doit achever de me dissoudre la cervelle. Afin de semer mes appréhensions, je déclenche une course dans la pente folle de la rue Lafontaine, à contre-circulation :

– La dernière arrivée à la bibliothèque est un cercopithèque d'eau douce !

Aïcha, qui ignore le chemin, grimpe tout de même sur ses pédales et me dépasse avec un rire de défi. Je me jette derrière elle et nous filons vers Saint-Patrice au travers des klaxonnements scandalisés, ivres comme deux pilotes de course sur le circuit de Monaco. Derrière nous, le fantôme de Lou rôde dans la forêt vierge.

Nous martelons la porte en chœur, encore essoufflées, et un petit vieux à cheveux blancs vient ouvrir, le doigt sur la bouche : même déserte, la bibliothèque commande le silence. Par ici l'entrée du sanctuaire, veuillez laisser vos babouches à l'entrée et accrocher vos discussions au vestiaire. Aïcha me sourit avec amusement.

Perché au sommet d'une échelle, à l'autre bout de la pièce, Hamzah consulte des livres à ras de plafond, prenant des notes dans un petit cahier. Autour de lui travaillent en somnambules les trois ou quatre commis habituels de la bibliothèque, que je jurerais plus anciens que la bâtisse elle-même : sous leurs pieds doit s'être développé, depuis tout ce temps, un immense réseau de racines plongeant profondément sous les fondations, et je sais déjà qu'ils ne survivront pas à la transplantation de la bibliothèque. Avec ses cheveux noirs et le cuivre de sa peau, Hamzah a presque l'air d'un adolescent, planant imperturbablement au-dessus de leurs têtes jaunâtres. Il nous aperçoit, fait un petit salut de la main et se replonge dans son travail de vigie.

Nous regardons autour de nous en reprenant notre souffle. Un imposant nuage de poussière flotte paresseusement d'un bout à l'autre de la pièce, parmi les boîtes de livres et les plantes vertes en train de succomber à la sécheresse.

Je prends Aïcha par le bras et je l'attire dans le large escalier d'érable qui mène au sous-sol. Personne ne travaille là-dessous pour le moment, et les dernières marches de l'escalier se perdent dans la noirceur. Je descends à tâtons, cherchant l'interrupteur de la main. J'entends la respiration d'Aïcha, quelque part derrière moi. Je ne sais plus où nous nous trouvons et ma main cherche la lumière, court le long du mur, sautant les moulures et bosselures du plâtre. Il me vient à l'esprit, pendant une seconde, que je suis en train de nous égarer pour de bon. Ali Baba pris au piège dans la caverne. Au bout d'une éternité, je sens enfin basculer sous mon doigt une excroissance de plastique. Sésame !

Les vieux fluorescents jaunâtres lancent quelques éclairs, clignotent un peu et les trésors du sous-sol s'illuminent : les murs tapissés de milliers de bandes dessinées, les longs rayons foisonnant d'encyclopédies et, au milieu, la petite bibliothèque remplie d'atlas et de livres de photographies de tout l'univers. Les racines du monde lovées sous la rue Lafontaine. Je prends une longue respiration : les quarante voleurs n'auront pas encore eu notre peau ! Aïcha me regarde avec des airs de conquistador et nous nous ruons à l'assaut des *Tintin,* chacune voulant être la première à dénicher *Le crabe aux pinces d'or.*

Une fois gavées de bandes dessinées, nous nous plongeons dans les atlas. Serrées l'une contre l'autre dans un fauteuil trop petit pour deux, l'atlas ouvert sur nos genoux, elle me montre les pays où elle a vécu. Déception fugace : Aïcha ne vient pas de Madagascar, mais de la Tunisie et de la France, et aussi de l'Italie et du Maroc. C'est aussi bien : je perds une île, mais je gagne un collier de pays. Donnant, donnant, elle m'explique le plateau du Dahar et le détroit de Messine, tandis que je lui apprends la baie des Chaleurs et le fjord du Saguenay.

Lorsque nous partons de la bibliothèque, en fin d'après-midi, Hamzah me lance du haut de son échelle :

– Ho, Karyne ! Si tu veux souper avec nous ce soir, ne va pas te gêner : tu es la bienvenue !

Tout en aidant Aïcha à confectionner les boulettes de viande pour la tajine, je repense aux réticences de ma mère lorsque je lui ai annoncé que je mangerais ici. Souper chez Lou n'aurait posé aucun problème, mais ici, chez nos nouveaux voisins, quelle imprudence ! Je la devinais en train de tordre et retordre le fil du téléphone, perplexe, quasi inquiète.

– Non, je sais pas à quelle heure je vais rentrer. Oui, son père m'a invitée. Non, sa mère est à Montréal, je te l'ai déjà dit. On va préparer le souper ensemble. Alors, c'est oui ?

Aïcha me rappelle à l'ordre : mes boulettes de viande ont mauvaise mine. Je ne dois plus penser à ce *oui* extirpé de peine et de misère de la bouche de ma mère.

– Tu sais, me dit Aïcha, c'est normal qu'elle s'inquiète. Elle ne m'a même pas rencontrée. Il faudrait que tu me présentes. (Tu me passes l'ail, s'il te plaît ?) À Montréal, évidemment, ça ne changerait rien : personne ne connaît personne. Mais quand tu habites une petite ville, tout le monde doit savoir qui tu es, non ? Je suis *aïcha incognita*, pour ta mère, et ça me rend suspecte.

Je n'y avais pas songé. Elle dépose la tajine sur la cuisinière tandis que je tente de dénicher les napperons.

– Mais même si je te présente à tout le quartier, que je réplique, tu vas rester une inconnue. On se reconnaît par la parenté, ici, et à cause du clergé tout-puissant des années quarante (qui tenait les clés de la chambre à coucher dans son trousseau, quelque part entre celles de la caisse populaire et celles de la sacristie) elle foisonne, la parenté. Moi, par exemple, je ne suis pour tout le monde que la fille d'Aline Bourgault et de Jean-Pierre Stern, la nièce de Georges, de Géraldine, de Lucie et de Gaston, de Henriette, de Claude et de Lucette, de Jean-Marie et de Marie-Jeanne, la filleule de Louis et de Claire, la petite-fille d'Imelda et de Ferdinand – et je t'épargne la parenté par alliance ! On n'existe pas sans antécédents familiaux, ici...

– Et les antécédents exotiques, ça ne convient pas ?

– Ça dépend. Mon nom de famille allemand, par exemple, c'est une frontière à ne pas franchir.

Elle fronce les sourcils et éclate de rire.

– Alors moi, je survole toutes les frontières ! Hamzah est Tunisien et Liliane, Française, mon grand-père Lorenzo vient de Sicile, ma grand-mère Yasmina était Berbère, et mon oncle Omar est naturalisé Grec – sans compter que je suis née à Albuquerque et que j'ai vécu deux ans au Mexique. Mon ascendance brouille les cartes ! *(Elle rigole.)* Tu crois que ça serait bon, quelques morceaux de kiwi avec les boulettes de viande ?

(Oui, je sais, nous n'aurons pas vraiment eu cette discussion : des enfants de dix ans ne font ni sociologie ni généalogie. Ce n'est que plusieurs années après le départ d'Aïcha que je mettrai enfin des mots sur toutes nos conversations silencieuses, sur nos innombrables et indicibles intuitions – mais la vraisemblance n'est pas mon affaire.)

Hamzah, arrivé entre-temps avec une pile de livres sous le bras, renifle en connaisseur le fumet de la tajine qui mijote. Aïcha lui saute au cou et, pendant un moment, ils ne sont plus qu'un seul ange aux ailes entremêlées.

Nous sortons de table vers huit heures pour laver la vaisselle, besogne que la présence d'Hamzah n'active guère, plus soucieux qu'il est de nous faire rigoler en imitant la dégaine de ses commis que de récurer les assiettes. Lorsque je range enfin la dernière fourchette, le soleil est presque couché, bien que ce soit aujourd'hui le solstice. Hamzah, qui soupire de soulagement, descend au sous-sol en sifflotant avec, sous le bras, une pile de livres de la bibliothèque dont il espère sauver la reliure. J'esquisse un pas vers le vestibule. Doucement, Aïcha se glisse dans mon dos et me prend par la taille :

– Tu me quittes déjà ?

Et dans un souffle :

– Pourquoi tu coucherais pas ici ?

J'anticipe déjà le refus indiscutable de ma mère : je sais avoir obtenu beaucoup, en soupant ici, et je doute qu'elle m'en concède davantage. Je suis sûre qu'elle m'imagine captive de la planque obscure d'un méchant Maure intégriste, poseur de bombes et de tchadors – et non invitée chez un Hamzah gâteau et rigolard, hautement préoccupé par le salut d'une pile de vieux livres.

Jamais ma mère ne voudra me laisser passer la nuit chez Aïcha. Mais qui ne risque rien...

Je peux la voir répondre au téléphone dans la fenêtre de notre cuisine, à peine séparée de moi par le jardin. Si elle m'imagine en mauvaise posture, elle n'en laisse rien voir. Elle préfère tout de même que je couche à la maison : je n'ai pas été là de la journée, Louise a encore téléphoné trois fois et mon père se pose des questions. Je ne réponds rien – qu'est-ce que je peux répondre ? Mon entourage a l'amour inquiet, mais ça reste de l'amour.

Je lance un sourire de connivence à Aïcha, qui a écouté notre conversation sur l'autre téléphone, et je traverse sans sourciller la noirceur du jardin. En passant par le salon, où mes parents écoutent un film américain, je mime avec brio la fatigue du premier jour de vacances – numéro qui m'évite tout interrogatoire – et je monte à ma chambre en bâillant ostensiblement. Je me déshabille en vitesse, enfile ma plus belle chemise de nuit blanche et me glisse sous les draps. Cinq minutes après, ma mère vient me coller un bec sur le front. Je lui réponds en marmonnant n'importe quoi et elle redescend au salon, satisfaite.

Une fois seule, je fourre trois ou quatre chandails sous mes draps et j'ouvre la fenêtre. Après un bref coup d'œil à Madagascar, perdue dans le noir, j'enjambe le chambranle et m'accroche ferme à la gouttière – acrobatie formellement prohibée par mon père. Je descends sur le toit de l'appentis et, de là, je saute dans le gazon. J'écoute un instant : hormis mon cœur, tout est calme. Je retraverse le jardin en courant, pieds nus dans le serein. Chez Aïcha j'escalade l'appentis et la gouttière, et je cogne discrètement à la fenêtre de sa chambre. Elle m'ouvre et m'aide à entrer.

Avec sa chemise blanche, et dans la pénombre qui nous donne la même peau, je me croirais face à ma jumelle. On se regarde en souriant gravement, et elle me prend dans ses bras sans dire un mot.

(Qui es-tu donc, ma sœur de Siam, mon second moi, mon ange gardien, que tu m'arraches ainsi à moi-même ? Quel sang nous est secrètement commun malgré mes racines et tes plumes ? Je ne te connais que depuis le matin et déjà ma vie ne vaut plus cher sans toi.)

Nous nous endormons finalement, serrées l'une contre l'autre, mon nez dans ses cheveux. Je ne repartirai me coucher dans mon lit que sous l'aile de l'aube.

Aïcha dort encore et, en attendant son réveil, je revampe une fois de plus notre fresque à la craie. L'asphalte est déjà chaud, même s'il n'est que neuf heures, et je balance d'une cuisse à l'autre pour ne pas griller prestissimo. Au déjeuner, la radio annonçait des records de chaleur pour la journée : voilà trois semaines que le thermomètre frôle les 40° Celsius avec un taux d'humidité insupportable. Des feux de forêt éclatent partout en Gaspésie et dans le fin fond du Madawaska, et le nordet nous pousse des bancs de fumée jaunâtres qui estompent le soleil. Les CL-215 passent au-dessus du quartier avec des bruits paresseux de bourdons géants. Impossible d'oublier que la Forêt, la vraie, l'immense qui va se perdre dans le Maine lointain, commence à peine à dix minutes de notre centre-ville.

Je n'ai pourtant rien remarqué de cette ambiance de fin du monde. Le mois qui s'est écoulé depuis l'arrivée d'Aïcha n'aura somme toute été qu'une série de variations sur notre première journée ensemble : variations sur nos après-midi passés à faire la course aux Chinois dans la forêt équatoriale de la rue Lafontaine, à nous tapir dans le sous-sol de la bibliothèque, à nous taper tous les atlas ; variations sur nos expérimentations culinaires. Variations, évidemment, sur toutes nos nuits serrées l'une contre l'autre dans le secret de son lit – tandis que mes parents écoutaient la télévision au salon et que Hamzah, dans sa cave, cousait des kilomètres de reliures.

Je lève le nez et un énorme CL-215, avec un grondement apocalyptique, éclipse le soleil durant une seconde. Quelque part derrière l'horizon, des milliers d'hectares de forêt s'obstinent à brûler.

La fumée a réussi à envahir le moindre recoin de chaque maison, sauf le sous-sol de la bibliothèque, où les arbres ne peuvent plus s'envoler en cendre, figés qu'ils sont dans l'éternité de Gutenberg. Dans cette ambiance de catastrophe, on a plus que jamais l'impression de descendre se réfugier dans un bunker abritant le meilleur de l'humanité : les atlas, les encyclopédies et les bandes dessinées.

Descendu nous rejoindre alors que nous comparons pour la cent millième fois les planches 42 et 98 du Grand Atlas, Maghreb oriental et sud-est du Québec, Hamzah estime en souriant la pile de bande dessinées qui se dresse près de nous, et constate que notre programme de lecture ne varie guère d'un jour à l'autre. Il me regarde avec un air bizarre et me tend un livre proprement squelettique.

– Cadeau. Tu le liras à temps perdu.

Il a parcouru un long chemin avant de me parvenir : plus aucune page ne tient à la suivante, la reliure a été arrachée miette par miette, la couverture porte des cicatrices guerrières. Il a couru le marathon, ce livre, il a traversé ses neuf vies à bout de souffle – mais voilà : *La chaise du maréchal-ferrant* se trouve enfin entre mes mains. Pour l'heure je regarde Hamzah, dubitative, commençant à peine à soupçonner que puisse exister quoi que ce soit de mieux que le Grand Atlas. Hamzah cligne de l'œil à Aïcha et remonte à l'étage en sifflotant. Je me tourne vers Aïcha qui me renvoie le clin d'œil à la volée et se repenche sur la planche 42, me laissant seule et perplexe, le livre à la main.

Adossée contre un vieil érable, j'attends qu'Aïcha sorte de la bibliothèque. Lou se plante devant moi à l'improviste, silencieuse, les poings aux hanches. Je la regarde sans surprise et ne dis rien non plus, tout de même un peu triste de ne pas reconnaître la vieille copine de si longtemps, celle d'avant tout ; elle lui ressemble comme deux gouttes d'eau, pourtant, cette fille debout devant moi, mais ce n'est pas ma Louise. Ou alors c'est moi qui ne suis plus moi. Elle regarde suspicieusement, sur mes genoux, *La chaise du maréchal-ferrant*.

– Alors, c'est vrai ? Tu perds vraiment tout ton temps avec eux autres ? T'es pas méfiante. Je trouve ça suspect, moi, de vivre toute seule avec son père. Ça a l'air que ses parents auraient... *(Pause.)* Tu sais...

(Ça y est. Le pire était à craindre. Comment te dire, Lou, de ne pas te gaver de ragots, de chercher plus loin que le bout de ton nez ? Comment te dire qu'il faut parfois cesser la méfiance ? Que les étrangers ne sont pas nécessairement de vieux monsieurs qui rôdent près des cours d'école avec les poches débordantes de bonbons suspects ?)

– Tu passes plus me voir, tu me téléphones même plus, y a plus rien qu'*elle* qui existe. As-tu honte de moi ?

(Pas honte, Lou, mais je veux seulement un peu d'air, pouvoir rêver de l'océan Indien sans être accusée de haute trahison.)

– Je suppose que tu vas continuer à m'ignorer tout l'été... Si tu te souviens de mon numéro de téléphone, en retombant de ta Madawascar, tu pourras toujours me lâcher un coup de fil.

Lorsqu'elle disparaît au coin de la rue, Aïcha vient s'asseoir à côté de moi.

– C'était Lou ?

– C'était Lou.

Elle ne dit rien. Peut-être pense-t-elle à toutes les amies qu'elle a laissées derrière elle d'un déménagement à l'autre, à toutes les crises de larmes qu'elle a dû essuyer. Les méfiances et les potinages de Lou lui sont sans doute bien peu de choses. Pourtant... En remontant chez Aïcha, nous surprenons des détails ayant jusque-là échappé à notre attention : des rideaux de fausse dentelle brusquement tirés, des esquives fugaces dans l'ombre des fenêtre, des discussions interrompues.

Faut-il que je sois peu perspicace pour ne pas m'être aperçue que tout le quartier jacasse dans le dos d'Aïcha, de Hamzah et du mien ? On me croit sans doute victime d'un lavage de cerveau, ou de quelque projet terroriste. Peut-être madame Landry, qui nous écornifle depuis sa galerie, soupçonne-t-elle une fabrique de bombes artisanales : son barbu de fils en a lui-même déposé, à la fin des années soixante, dans les boîtes à lettres de Westmount.

À bien y regarder, la suspicion de Lou ne constitue que la pointe de l'iceberg, un iceberg aux dimensions du quartier. Mais s'il fallait exister à l'aune des ragots, on ne vivrait pas loin. De connivence, Aïcha et moi décidons de faire fi du voisinage tout en perfectionnant l'art subtil du pied de nez.

De *La chaise du maréchal-ferrant* je ne parviens en fin de compte, et au bout de moult pénibles tentatives, à lire que la première page. Quel genre de bouquin Hamzah m'a-t-il refilé là ? Découragée, j'abandonne le livre sur le plancher de ma chambre, sa couverture bleu reflex devenant lentement bleu royal, puis bleu pâle et enfin totalement grise sous l'accumulation de la poussière, de la cendre et du pollen. Le mois d'août touche à sa fin et il ne reste plus qu'une semaine avant le début des classes. Le soleil se couche déjà plus tôt, et plus tôt je vais rejoindre Aïcha le soir, en proie à la mélancolie des fins de vacances.

Un matin, alors que je me lève pour retourner dans mon lit, je trouve Aïcha debout près de la fenêtre, l'air grave. Dans la vague clarté de l'aurore, je remarque des boîtes empilées dans un coin de la chambre.

– Ne dis rien, Karyne. Écoute seulement. Je pars aujourd'hui, je retourne à Montréal. Hamzah a décidé de ne pas renouveler son contrat en octobre. Il s'ennuie de Montréal. *(Elle hésite.)* Je ne te l'avais pas dit, parce que... Les adieux, moi... *(Bref silence.)* Et puis tu dois savoir que je ne t'écrirai jamais. Et que je ne t'appellerai pas non plus. Parce que...

Elle termine sa phrase dans un murmure, les yeux fermés. Nous nous accrochons l'une à l'autre de toutes nos forces et, pendant un instant, je nous crois greffées, ma peau confondue avec la sienne, ses yeux avec les miens, et je la serre plus fort avec l'espoir insensé qui est mon lot.

Le soleil est presque levé quand nous réussissons à nous dénouer l'une de l'autre. Je m'apprête à descendre par la fenêtre pour la dernière fois lorsque, après un moment de réflexion, je me ravise. Je file devant la chambre d'Hamzah, qui va bientôt se réveiller, et je déboule l'escalier au pas de course jusqu'à la porte de devant. Pieds nus sur l'asphalte froid, j'observe les fenêtres environnantes : le voisinage ronfle pesamment. Hargneuse, je lance un énorme pied de nez à toutes les maisons de la rue, à toutes les rues de la ville. Puis, calmée, je retourne dans mon lit sans me presser.

Aïcha, du pas de la porte, me regarde en souriant tristement.

Certains premiers jours de classe donnent l'impression d'un éveil, comme si les vacances n'avaient pas réellement eu lieu, comme si le temps, après avoir effectué un bref cercle sur lui-même, revenait à son point de départ. À huit heures sept minutes précises, Lou se pointe dans le cadre de porte de la cuisine, sans rancune apparente, ne semblant même plus garder souvenir de ma désertion estivale. Comme d'habitude je ne suis pas prête et je finis ma toast dans la rue, constatant avec écœurement que même le miel laisse un goût amer.

Non seulement la faconde de Lou ne s'est pas altérée durant les vacances, mais elle a gagné en vigueur, sans doute exacerbée par le sentiment d'une victoire par défaut sur Aïcha. Lou danse en marchant tandis que je jette des coups d'œil discrets à Madagascar, accablée par la circularité de notre routine.

Je repense à ma mère m'exhortant, hier soir, d'enfin faire le ménage de ma chambre...

Ne sachant trop par où entamer le désordre, je ramasse sans conviction deux ou trois chandails et découvre, sous l'un d'eux, *La chaise du maréchal-ferrant*. Je prends le livre et, réminiscence d'Aladin, j'en essuie la poussière du revers de ma manche. Aucun génie ne daignant apparaître, je tente de relire la première page une fois de plus, à tout hasard – mais cette fois-ci, passez muscade, chaque mot de Ferron donne sa pleine sonorité et je tombe assise sur le plancher, parmi les moutons et les chandails bouchonnés, irrémédiablement envoûtée.

Alors qu'à la page cinquante quelque Jean Goupil, mort de sa belle mort, s'envole vers on ne sait trop où, ma mère fait irruption dans la chambre, furieuse de me trouver extatique au milieu du bordel coutumier – et ce matin, pendant que Lou piaille et s'éparpille en paroles vides, je rêve à la fameuse chaise volante du maréchal-ferrant, la mauvaise chaise du diable avec laquelle il serait si facile de décoller pour Madagascar. Enfin, d'ici là il me reste tout de même le livre à terminer, ce qui est toujours mieux que rien, ce qui est toujours mieux que de me morfondre de l'absence d'Aïcha.

Je m'arrête un moment au coin de la rue Saint-Elzéar. Lou trépigne, consulte ostensiblement sa montre. Je regarde les bâtisses autour de nous : il ne s'agit plus que de vieilles baraques bêtes. Finie la forêt de briques et de gouttières, finies la flore de mortier et les feuilles en bardeaux d'asphalte. Après trois mois de forêt équatoriale, me voici de retour dans ma vieille ville routinière. Un peu plus loin, la cloche de l'école sonne.

Depuis le départ d'Aïcha, Hamzah ne passe plus que rarement chez lui : l'été n'aura été qu'une trêve et le voilà maintenant de retour dans son écosystème naturel, ne respirant bien que parmi les livres – qui a dit qu'il fallait, pour être rat de bibliothèque, avoir les rides et pelures d'un petit vieux ? Il s'avère désormais illusoire de lui mettre la patte au collet afin d'obtenir d'autres lectures : en l'absence de sa fille, Hamzah ne vit que de papier et d'eau fraîche. Moi aussi, d'ailleurs, et peut-être préparait-il mon sevrage en tentant de substituer à Aïcha la prose de Ferron. Quoi qu'il en soit, la *Chaise* s'est laissée gober beaucoup trop vite et je ressens pour la première fois une désagréable béance que les bandes dessinées et les atlas n'étaient jamais parvenus à creuser. Je ronge donc mon frein tandis que Hamzah demeure planqué dans le silence de la bibliothèque, hors d'atteinte.

Un lundi après-midi d'octobre, en revenant de l'école au rythme habituel des blablas de Lou, nous croisons un camion de déménagement qui remonte lourdement de ma rue. Lou cesse de parler, incapable de réprimer un sourire de soulagement. Le camion passe près de nous avec un grondement fatigué, traînant une odeur d'essence et de vieille graisse. Je plante Lou sur le trottoir et descends en courant chez Hamzah. Dans le gazon, quelqu'un a piqué de travers une pancarte *À vendre*. Je me jette sur la porte et tourne furieusement la poignée, cogne à pleins poings, sonne et sonne encore mais personne ne répond. Je renonce après un long moment, le front appuyé sur la porte. La maison est redevenue le mausolée silencieux des Ouellet.

Lorsque je rentre chez moi, ma mère me crie de la cuisine :
– Le père d'Aïcha t'a laissé une boîte. Je l'ai mise dans ta chambre.

Une onde de chair de poule recouvre mes bras. Je grimpe l'escalier comme une folle, me précipite dans ma chambre. Ma mère a déposé sur le lit une grosse boîte de carton kraft. J'arrache les battants et les envoie dinguer aux quatre coins de la chambre : sous le carton s'entassent pêle-mêle quelques dizaines de romans hétéroclites. Je creuse jusqu'au fond de la caisse, catapultant les livres autour de moi, mais peine perdue : Hamzah ne m'a pas laissé une lettre, pas même un billet. Je regarde les livres éparpillés sur le plancher... Plus tard, absorbée, aspirée par autant de lecture, je passerai plusieurs semaines à en traverser les milliers de pages – mais pour le moment, ce n'est jamais qu'un tas de papier poussiéreux.

Qu'est-ce qu'on peut faire, avec un tas de papier poussiéreux ?

Assise dans le chambranle de la fenêtre, je regarde le soleil se coucher sur Madagascar. Une bouffée d'air froid monte de la basse-ville, emportant avec elle une chauve-souris mal réveillée. Je n'ai pas le vertige. Pas trop.

Comme à chaque soir, je serre dans mes bras le vieil atlas vert auquel manquent maintenant des dizaines de pages. À quoi bon écouter les cartographes, qui prétendent claustrer mes rêves dans le grillage des noms officiels ? Madagascar n'est que l'île aux Lièvres – le beau secret ! Croient-ils que les Amérindiens de toutes nations ont attendu les blancs pour donner, aux îles de l'estuaire du Saint-Laurent, des dizaines de noms que le courant a depuis emportés, tant il est vrai que les historiens n'ont pas le pied marin ? Les Vikings eux-mêmes, en ralliant l'île, l'appelèrent Straumey, et peut-être les Basques, pêcheurs de baleines franches, la nommèrent-ils d'un nom propre. Puis Cartier, nanti de son permis d'explorer en trois exemplaires, la baptisa île aux Lièvres, nom que les militaires anglais, trop occupés par l'île aux Œufs, se contentèrent de traduire en Hare Island. Elle deviendra tour à tour latine dans les sermons des curés, géodésique dans les thèses des topographes, et chinoise, thaïlandaise, vietnamienne, américaine, espagnole et arabe dans la bouche de tous les équipages de misère qui croiseront à son large sur des cargos de céréales, de fer et de pétrole.

Et voilà venu mon tour de conquérir ce bout de planète à grands coups de toponyme. J'ai déjà perdu trop de temps : le cap de l'équinoxe est maintenant passé et nous dérivons mollement, de jour en jour, vers la noirceur du solstice. Mon père va bientôt installer les châssis d'hiver et je ne pourrai plus m'asseoir à la fenêtre pour convoiter Madagascar. Les pluies de novembre ont commencé à tomber avec monotonie, jour et nuit. Lou est devenue insupportable à force de me croire sienne. Les Chinois du chemin de fer ont silencieusement filé dans la brume. La forêt vierge a été définitivement défoliée.

Il est temps de partir.

J'y ai travaillé pendant deux semaines, cachée dans le grenier, avec le squelette d'un vieux parapluie de golf et un sac de colle à tapisserie. Méthodiquement, en commençant par l'Afrique du Nord et en finissant par le Québec, j'ai arraché les plus belles cartes de l'atlas. Comme j'allais manquer de papier, j'ai mis à profit *La chaise du maréchal-ferrant*, et enfin un vieux catalogue de La Baie qui traînait dans un coin. J'ai bricolé un harnais avec les vieilles ceintures de mon père et voilà : perchée sur le rebord de la fenêtre, mes ailes de papier mâché sanglées au dos, je m'apprête à sauter. Les baleines du parapluie me donnent davantage l'air d'une chauve-souris que d'un ange, mais l'esthétique importe peu : il s'agit d'atteindre Madagascar, ou Marrakech, ou Montréal, là où le vent me poussera.

Je me sais doucement dingue de préférer aux frères Wright et à l'oncle Newton la douteuse expérience de Nils Holgersson – et pourtant je parviendrai un jour, par des moyens plus orthodoxes, aux forêts équatoriales d'Amérique du Sud et aux hamadas d'Afrique du Nord, je traverserai le Proche-Orient et j'atteindrai même la lointaine Madagascar – toujours à la recherche de la même image où se confondent l'île aux Lièvres, l'odeur des feux de forêts et les bras d'Aïcha.

Auparavant, toutefois, il me faudra apprendre qu'un livre est une ancre, et que la solidité du papier mâché n'est jamais que relative : mon vol plané se terminera dans le saule pleureur où je me casserai une jambe, une clavicule et deux côtes. Je passerai une semaine à l'hôpital, où l'on me fera subir mille tests psychiatriques, et je deviendrai pour des années la Folle du quartier, la Karyne-la-perdrix de l'école – mais rien ne compte, que la foi et la promesse de Madagascar, rien ne compte au moment où il faut tout de même sauter.

Remerciements

Ce livre est un collectif auquel ont participé, souvent à leur insu, de multiples encyclopédistes. Je veux ici leur transmettre mes plus chaleureux remerciements. Merci à Hugo, le tout premier lecteur de ce recueil, pour ses rires d'encouragement entre deux Mc Ewan's ; à Virginie, Martin et Richard, mes rigoureux prélecteurs ; à Nadia pour le futur simple de l'indicatif et pour Lívingston ; à Fred pour les piérides et les nuits du Troisième Rang, et à Valérie pour l'étrange Turquie de son enfance ; à Caro, Alex, Annick, Mélie et Jean-Pierre pour les jours de roulis sur l'*Azimut II* ; à tous les participants enthousiastes du projet *Op*, notamment Bernard ; à Lucie pour le nord et le sud, et à Eva Yaaka pour les feuilles mortes ; à Assou pour le Maghreb ; à Graciela pour l'español du vendredi soir ; à Radia pour les traductions en arabe ; à Monik pour les rainettes crucifères du chemin du Moulin. Un merci tout particulier à ma famille, enfin, pour son aide et pour la confiance qu'elle persiste inexplicablement à me témoigner.

Avant-propos   9

I
L'Ancien Monde

Alexandrie, Alexandrie   15
L'Ancien Monde   21

II
Dans les limbes

La clé des océans   29
Le fantôme d'Howard Carter   33
À la dérive   39
Le temps perdu   47
Printemps   57
Dans les limbes   63

III
Reconquista

La clé des vents   73
Reconquista   83

Titres en poche chez le même éditeur :

1 *Dix ans de nouvelles : une anthologie québécoise*, présenté par Gilles Pellerin

2 *Parallèles : anthologie de la nouvelle féminine de langue française*, présenté par Madeleine Cottenet-Hage et Jean-Philippe Imbert

3 *Nouvelles d'Irlande*, présenté par Michael Cronin et Louis Jolicœur et traduit de l'anglais par Julie Adam et Louis Jolicœur

4 *Le fantastique même : une anthologie québécoise*, présenté par Claude Grégoire

5 *Feux sur la ligne : vingt nouvelles portoricaines (1970-1990)*, rassemblé par Robert Villanua et traduit de l'espagnol par Corinne Étienne et Robert Villanua (en coédition avec Alfil et l'Unesco)

6 *La mort exquise* de Claude Mathieu

7 *Post-scriptum* de Vassili Choukchine (en coédition avec Alfil)

8 *Ce que disait Alice* de Normand de Bellefeuille

9 *La machine à broyer les petites filles* de Tonino Benacquista

10 *Espaces à occuper* de Jean Pierre Girard

11 *L'écrivain public* de Pierre Yergeau

12 *Nouvelles du Canada anglais*, présenté et traduit de l'anglais par Nicole Côté

13 *Nouvelles françaises du XVIIe siècle*, présenté par Frédéric Charbonneau et Réal Ouellet

14 *L'œil de verre* de Sylvie Massicotte

15 *Le ravissement* de Andrée A. Michaud

16 *Autour des gares* de Hugues Corriveau

17 *La chambre à mourir* de Maurice Henrie

18 *Cavoure tapi* de Alain Cavenne

19 *Anthologie de la nouvelle québécoise actuelle*, présenté par Gilles Pellerin

20 *Ni le lieu ni l'heure* de Gilles Pellerin

21 *Le cri des coquillages* de Sylvie Massicotte

22 *Platebandes* de Alain Cavenne

23 *Nouvelles françaises du XVIIIe siècle*, présenté par Marc André Bernier et Réal Ouellet

24 *Insulaires* de Christiane Lahaie

25 *La vie passe comme une étoile filante : faites un vœu* de Diane-Monique Daviau

Recueils de nouvelles parus chez le même éditeur :

Parcours improbables de Bertrand Bergeron
Ni le lieu ni l'heure de Gilles Pellerin
Mourir comme un chat de Claude-Emmanuelle Yance
L'Atelier imaginaire. Nouvelles de la francophonie
    (en coédition avec l'Âge d'Homme)
L'araignée du silence de Louis Jolicœur
Maisons pour touristes de Bertrand Bergeron
L'air libre de Jean-Paul Beaumier
La chambre à mourir de Maurice Henrie
Ce que disait Alice de Normand de Bellefeuille
Circuit fermé de Michel Dufour
En une ville ouverte, collectif franco-québécois
    (en coédition avec l'Atelier du Gué et l'OFQJ)
Silences de Jean Pierre Girard
Les virages d'Émir de Louis Jolicœur
Mémoires du demi-jour de Roland Bourneuf
Transits de Bertrand Bergeron
Principe d'extorsion de Gilles Pellerin
Petites lâchetés de Jean-Paul Beaumier
Autour des gares de Hugues Corriveau
La lune chauve de Jean-Pierre Cannet (en coédition avec l'Aube)
Passé la frontière de Michel Dufour
Le lever du corps de Jean Pelchat
Espaces à occuper de Jean Pierre Girard
Bris de guerre de Jean-Pierre Cannet et Benoist Demoriane
    (en coédition avec Dumerchez)
Je reviens avec la nuit de Gilles Pellerin
Nécessaires de Sylvaine Tremblay
Tu attends la neige, Léonard ? de Pierre Yergeau
La machine à broyer les petites filles de Tonino Benacquista
    (en coédition avec Rivages)
Détails de Claudine Potvin
La déconvenue de Louise Cotnoir
Visa pour le réel de Bertrand Bergeron

Meurtres à Québec, collectif

Légendes en attente de Vincent Engel

Nouvelles mexicaines d'aujourd'hui, traduites de l'espagnol
    et présentées par Louis Jolicœur

L'année nouvelle, collectif (en coédition avec Canevas,
    Les Éperonniers et Phi)

Léchées, timbrées de Jean Pierre Girard

La vie passe comme une étoile filante : faites un vœu
    de Diane-Monique Daviau

L'œil de verre de Sylvie Massicotte

Chronique des veilleurs de Roland Bourneuf

Gueules d'orage de Jean-Pierre Cannet et Ralph Louzon
    (en coédition avec Marval)

Courants dangereux de Hugues Corriveau

*Le récit de voyage en Nouvelle-France de l'abbé peintre
    Hugues Pommier* de Douglas Glover (traduit de l'anglais
    par Daniel Poliquin)

L'attrait de Pierre Ouellet

Cet héritage au goût de sel de Alistair MacLeod
    (traduit de l'anglais par Florence Bernard)

L'alcool froid de Danielle Dussault

Ce qu'il faut de vérité de Guy Cloutier

Saisir l'absence de Louis Jolicœur

Récits de Médilhault de Anne Legault

Аэлита /Aélita de Olga Boutenko (édition bilingue russe-français)

La vie malgré tout de Vincent Engel

Théâtre de revenants de Steven Heighton (traduit de l'anglais
    par Christine Klein-Lataud)

N'arrêtez pas la musique ! de Michel Dufour

Et autres histoires d'amour... de Suzanne Lantagne

Les hirondelles font le printemps de Alistair MacLeod
    (traduit de l'anglais par Florence Bernard)

Helden/Héros de Wilhelm Schwarz (édition bilingue allemand-français)

Voyages et autres déplacements de Sylvie Massicotte

Femmes d'influence de Bonnie Burnard

Insulaires de Christiane Lahaie

On ne sait jamais de Isabel Huggan (traduit de l'anglais
  par Christine Klein-Lataud)
Attention, tu dors debout de Hugues Corriveau
Ça n'a jamais été toi de Danielle Dussault
Verre de tempête de Jane Urquhart (traduit de l'anglais par Nicole Côté)
Solistes de Hans-Jürgen Greif
Haïr ? de Jean Pierre Girard
Trotski de Matt Cohen (traduit de l'anglais par Daniel Poliquin)
L'assassiné de l'intérieur de Jean-Jacques Pelletier
Regards et dérives de Réal Ouellet
Traversées, collectif belgo-québécois (en coédition avec les Éperonniers)
Revers de Marie-Pascale Huglo
La rose de l'Érèbe de Steven Heighton (traduit de l'anglais
  par Christine Klein-Lataud)
Déclarations, collectif belgo-québécois (en coédition
  avec les Éperonniers)
Dis-moi quelque chose de Jean-Paul Beaumier
Circonstances particulières, collectif
La guerre est quotidienne de Vincent Engel (en coédition
  avec Quorum)
Toute la vie de Claire Martin
Le ramasseur de souffle de Hugues Corriveau
Mon père, la nuit de Lori Saint-Martin
Tout à l'ego de Tonino Benacquista
Du virtuel à la romance de Pierre Yergeau
Les chemins contraires de Michel Dufour
Cette allée inconnue de Marc Rochette
Tôt ou tard, collectif belgo-québécois (en coédition avec les Éperonniers)
Le traversier de Roland Bourneuf
Le cri des coquillages de Sylvie Massicotte
L'encyclopédie du petit cercle de Nicolas Dickner
Métamorphoses, collectif belgo-québécois (en coédition
  avec les Éperonniers)
*Les travaux de Philocrate Bé, découvreur de mots,
  suivis d'une biographie d'icelui*, collectif
Des causes perdues de Guy Cloutier

La marche de Suzanne Lantagne
Ni sols ni ciels de Pascale Quiviger
Bye-bye, bébé de Elyse Gasco (traduit de l'anglais par Ivan Steenhout)
Le pharmacien de Sylvie Trottier
Dangers, collectif belgo-québécois (en coédition avec Images d'Yvoires)
Nouvelles mémoires de Marie Claude Malenfant
Vers le rivage de Mavis Gallant (traduit de l'anglais par Nicole Côté)
Peaux de Marie-Pascale Huglo
Pornographies de Claudine Potvin
Clair-obscur, collectif belgo-québécois (en coédition
    avec Images d'Yvoires)
Arrêts sur image de Lise Gauvin
Mémoire vive de Maurice Henrie
Le dragon borgne de Gérard Cossette
Carnet américain de Louise Cotnoir
La route innombrable de Roland Bourneuf
Trois filles du même nom de Suzanne Lantagne
Les noces de vair de Jean-François Boisvert
Ï (i tréma) de Gilles Pellerin
La Mort ne tue personne de France Ducasse
On ne regarde pas les gens comme ça de Sylvie Massicotte
Les cinq saisons du moine de David Dorais
5-FU de Pierre Gagnon
Femme-Boa de Camille Deslauriers
Par ailleurs de Réal Ouellet
Intra-muros de Nicole Richard
Trompeuses, comme toujours de Jean-Paul Beaumier
Les cigales en hiver de Hélène Robitaille